Scott Bradfield
Die Leute, die sie vorübergehen sahen

Scott Bradfield

Die Leute, die sie vorübergehen sahen

Roman

Aus dem amerikanischen Englisch übersetzt von Manfred Allié

Residenz Verlag

Bibliografische Information der Deutschen Bibliothek
Die Deutsche Bibliothek verzeichnet diese Publikation in der Deutschen Nationalbibliografie; detaillierte bibliografische Daten sind im Internet über http://dnb.d-nb.de abrufbar.

www.residenzverlag.at

Die Originalausgabe »The people who watched her pass by« erschien 2010 bei »Two Dollar Radio«

Umschlaggestaltung: boutiquebrutal.com
Umschlagbild: Barbara Erdmann
Typografische Gestaltung, Satz: Ekke Wolf, typic.at
Lektorat: Fanny Esterhazy
Gesamtherstellung: CPI Moravia Books

ISBN 978-3-7017-1603-6

Für Ji

Kurzer Abschied

Eines späten Abends, als sie drei Jahre alt war, wurde Salome Jensen von dem Mann, der den Heißwasserboiler reparierte, gepackt und mit in eine kleine, fast unmöblierte Bungalowwohnung in Van Nuys genommen, wo sie von da an lebte. Sie wusste, dass es dabei nicht mit rechten Dingen zuging, dass es zu plötzlich für einen normalen Urlaub war und dass der Mann, den sie Daddy nennen sollte, nicht ihr richtiger Daddy war. Doch von dem Augenblick an, als er sie hinten in seinem warmen, knoblauchduftenden VW-Bus absetzte, wusste sie, dass sie vor allem geschützt und bewahrt war, wovor bisher ihre Eltern sie geschützt und bewahrt hatten. Sie weinte nicht, sie wehrte sich nicht, sie wusste, dass alles sich, wie Mommy immer gern sagte, »zum Besten wenden« würde. Und schließlich nahm sie das Leben mit ihm sogar als eine Art Zuhause an.

»Ich behaupte nicht, dass ich je deine echte Mommy und deinen echten Daddy ersetzen kann«, sagte der Mann an jenem Abend zu ihr, als sie halb eingedöst hinten in seinem Wagen saß. »Und ich weiß, es gibt vielerlei Gründe dafür, dass deine leiblichen Eltern dir als wichtige Personen in deinem Leben in Erinnerung bleiben werden; das ist auch richtig so. Aber zugleich mag ich dich sehr auf meine ganz eigene Art, und das ist nicht die kranke und perverse Art, von der man im Skandalfernsehen und in Revolverblättern hört. Ich mag dich, weil du ein vollkommenes, wunderschönes kleines Kind bist, das unsere armselige Welt mit frischen, unvoreingenommenen Augen betrachtet. Und allein diese Unvoreingenommenheit ist es, was uns vor der endgültigen Öko-Katastrophe und Selbstauslöschung bewahren kann.«

Vor dem Abend, ab dem sie ihn Daddy nannte, hatte sie nie gewusst, wie er hieß. Er war einfach nur der Mann gewesen, der den Boiler reparierte. Und dann war er plötzlich um vieles mehr.

»Ich brauche meinen Hasen«, sagte sie zu ihm. Sie hatte sich in eine ölverschmierte, durchlöcherte rote Decke gewickelt, die sie auf dem geriffelten Boden des Wagens gefunden hatte. Sie roch wie rostiges Wasser. »Und mein Schokoladenei.«

Er war ein sehr verschlossener, nachdenklicher Mann, keiner, der ungestüm Hoppereiter und Verstecken mit ihr spielte wie ihr alter, jetzt ausrangierter und schon halb vergessener Daddy. Wenn er auf etwas, das sie sagte, antwortete, war sie jedes Mal aufs Neue überrascht; dann war es, als ob sie etwas viel Persönlicheres teilten als einen Ort zum Sitzen oder ein Auto, das sie irgendwohin brachte.

»Es gibt vieles auf der Welt, von dem denkst du, du brauchst es«, sagte er zu ihr, und es kam von weit her, aus der Tiefe seiner felsenfesten Überzeugung. »Und vieles, das du überhaupt nicht brauchst. Wenn du den Unterschied erst einmal gelernt hast, Liebes, dann habe ich alles erreicht, was ich an dem Tag, an dem ich dein treusorgender und lebenslanger Daddy wurde, erreichen wollte.«

***

Er gab alles für sie her, auch das winzige Schlafzimmer auf der Rückseite der Bungalowwohnung, das er rosa und blau anstrich, mit weißen Häschenwolken an Wänden und Decke. Er verkaufte das Werkzeug, das er im Wagen hatte, und kaufte ihr von dem Geld eine flauschige, mit Häschen bedruckte Bettdecke und das passende Bettzeug dazu. Er kaufte ihr ein Plastiktelefon, eine Waschmaschine-Wäschetrockner-Kombination aus Plastik und die dazugehörige Spielzeugküche, die vor den pastellfarbenen Stuckwänden standen wie ein unvermuteter Blick in eine andere Welt. Meist rührte Sal am Morgen, wenn Daddy noch unter der Dusche war, in ihrer Küche mit einem Plastikschneebesen Mehl, Salz und Knetgummi aus hübschen runden Döschen in einer großen Glasschüssel zusammen. Die Schüssel hatten die Vormieter in einem der hohen Einbauschränke zurückgelassen, zusammen mit einer wasserfleckigen Schachtel Streichhölzer, einem bandwurmartigen gelben Flohhalsband, auf dem blonde Hundehaare klebten, und einem versteinerten Schwamm.

»Das meiste von diesem Zeug ist zu nichts zu gebrauchen«, hatte Daddy zu ihr gesagt, als er von der

Spüle herunterkletterte. »Aber die Schüssel und der Schwamm hier, die sind noch völlig in Ordnung. Wir müssen ja nicht mehr Geld ausgeben als nötig.«

Nachts schlief er auf dem Sofa im Wohnzimmer, füllte eine große Blechdose, in der einst Haferflocken gewesen waren, mit Zigarettenstummeln und den Zellophanhüllen von Schokoriegeln, und morgens, wenn Salome ihn wecken kam, hing ein grauer Nebel unter der rissigen weißen Stuckdecke wie die dünnen, fliegenverdreckten Vorhänge, die an den Garagenfenstern von Salomes anderem, fernem Zuhause gehangen hatten, jenem Zuhause, an das sie am liebsten überhaupt nicht mehr dachte. Die torfartige Asche und die Zigarettenstummel kokelten manchmal noch, wenn Salome aufstand; und wenn sie die vergrabenen Glutnester nicht mit dem Gummi eines Bleistifts löschen konnte oder mit dem dicken Ende einer Plastikflasche, dann goss sie den mulmigen Bodensatz von Daddys letzter Dose V8-Gemüsesaft hinein und produzierte mit einer zusammengefalteten Zeitung oder Zeitschrift dichte Rauchwolken wie Indianer in einem alten Film, als wollte sie – irgendwo in der Tiefe ihres Unbewussten – jemandem etwas mitteilen, etwas über etwas, das schon vor langer Zeit geschehen war.

Über einen Ort vielleicht, an dem sie gewesen war. Oder einen Menschen, der ihr dort begegnet war.

★★★

Manchmal erwachte Salome am Morgen und hörte, wie Daddy im Badezimmer ein Lied vor sich hin pfiff, und die Dusche machte auf dem losen Bodenrost ein dumpf hallendes Geräusch, wie Sand, der über ein Blechdach geblasen wurde.

Als sie zum ersten Mal klopfte, antwortete er nicht. Also blieb sie tapfer stehen, atmete tief durch und klopfte ein zweites Mal.

»Ich muss aufs Klo«, flüsterte sie. Wahrscheinlich konnte er sie unter der Dusche nicht hören. »Wenn ich morgens aufwache«, erklärte sie ihm, »dann muss ich aufs Klo.«

Hinter dem grauen Plastik-Duschvorhang zeichnete sich Daddys Körper als dumpfer, beinahe farbloser Schatten ab, wie etwas am Grunde eines trüben Teichs.

»Was sagst du, Schatz? Ich bin gleich fertig! Mach dir schon mal was zu essen in der Küche! Ich brauche nicht mehr lange!«

Draußen vor ihrer Bungalowwohnung wucherte in den Gärten und den Rissen der Auffahrten groß und gelb das Unkraut. Wenn man nicht aufpasste, zerkratzte es einem die Innenseite der Oberschenkel, wenn man sich hinhockte, und die Beine juckten dann noch bis lange nach dem Frühstück. Frühstück bei Daddy, das hieß Tag für Tag eine große Schale mit trockenen Lucky Charms, eine Banane und ein Glas V8.

V8-Saft war das einzige Getränk aus dem Laden, das Daddy im Haus duldete. Und Salome hätte zwar gut darauf verzichten können, aber Daddy versicherte ihr immer, wie froh sie sein könne, dass sie so viel V8-Saft bekam.

»Manche Daddys«, erklärte er und hielt die rotweiße Blechdose in die Höhe wie eine geweihte Kerze in einer verlassenen Kirche, »geben ihren Kindern überhaupt nichts Ordentliches zu trinken. Da gibt es dreimal am Tag abgekochtes Leitungswasser oder eine Dose Orangenlimonade. Da gibt es nichts, was den Flüssigkeitshaushalt in Ordnung bringt *und* auch noch gut schmeckt. Wasser oder Limonade, mehr gibt es in den meisten Haushalten nicht. Aber *ich* lege Wert darauf, dass etwas Natürliches im Haus ist. Selbst wenn ich mich damit gegen alles stelle, was in diesem irrsinnigen, ultrarepressiven Land namens Amerika passiert.«

Salome widersprach nicht gern, und so trank sie ihr Glas V8 aus und sagte nichts. Sie hatte, seit sie zusammen waren, Daddy noch nie geärgert, und da wollte sie jetzt nicht damit anfangen. Womöglich war er der letzte anständige Daddy, den sie überhaupt bekam.

Und wenn es etwas gab, was Salome gelernt hatte, dann dass ein Mädchen festhalten musste, was es in dieser Welt hatte. Sonst verlor sie vielleicht alles noch einmal neu.

★★★

Es gab viele Dinge, die man bei Daddy nicht machte. Zum Beispiel gingen sie nie zur Spielgruppe. Sie gingen nicht baden oder ins Kino oder in den Musikladen im neuen Einkaufszentrum. Sie luden keine Freunde ein oder besuchten sie zu Hause. Meistens saßen sie einfach in ihrer Bungalowwohnung und versuchten sich vor der sengenden Sonne des Valley zu schützen, indem sie etwa modrige Pappkartons zwischen die glühend heißen Fensterrahmen klemmten oder Vorhänge aus Alustreifen in die Tür hängten. Nach »getaner Arbeit«, wie Daddy es nannte, legte er sich auf das kratzige Korbsofa und rauchte und starrte auf den kaputten Fernseher, einen großen Panasonic mit einem nierenförmigen Fleck auf dem Bildschirm. Sal setzte sich dann auf das dralle saubere Bett in ihrem Zimmer und starrte auf ihre Spielzeug-Kochnische, mit derselben in sich gekehrten Versonnenheit, die Daddy zu empfinden schien, wenn er ihr etwas erzählte.

»Du könntest Daddy etwas zu essen machen!«, rief Daddy von nebenan. »Ein Rührei oder Omelett vielleicht. Und jede Menge Kaffee. Bring mir einen schönen heißen Pott Kaffee und mach immer wieder neuen, bis ich sage, dass es genug ist.« Tagsüber trug Daddy ein grünes Frottee-Badetuch, an der Hüfte mit einer Sicherheitsnadel zusammengesteckt, sodass er sich immer an den weichen schwarzen Haaren auf seinem Bauch kratzen konnte.

Ein Omelett, dachte Sal. Rührei. Sie betrachtete den hübschen Plastikbackofen und die Plastikschränke. Sie blickte durch das schmutzige Fenster hinaus auf vertrocknetes Unkraut im Garten und die ausgesetzten Wracks von beunruhigend lautlosen Kühl-Gefrier-Kombinationen. In Daddys Haus zierten rosa Häschen die Wände. Und ein großer grüner, dicht gefiederter Papagei war auf das Kopfende ihres Bettes gemalt. Drei Tage lang hatte Daddy versucht, sie dazu zu bringen, dass sie das Kopfende Polly nannte, aber für Sal war und blieb es das Grüne Ding.

»Ich habe keine Eier und keine Butter«, sagte sie leise. »Ich habe nur Mehl und Salz.«

»Du könntest Kuchen backen!«, rief Daddy. Je leiser Sal sprach, desto lauter wurde Daddy. »Du könntest Brot und Plätzchen backen.«

Es war schwer, Daddy etwas zu erklären. Er wusste, wie man Sachen mit den Händen machte, wie man zum Beispiel Holzteile zusammennagelte oder ein Bild aufhängte, aber er konnte sich nicht vorstellen, wie andere es taten; sein Organismus funktionierte nicht so.

»Ich bräuchte einen richtigen Ofen, wenn ich Brot backen wollte«, sagte sie, so leise, dass sie sich selbst kaum hören konnte. Wenn man mit Daddy redete, musste man sehen, dass man sich durch die Hintertür verdrückte, sonst konnte es einem passieren, dass er einen stundenlang beschäftigt hielt und man überhaupt keine Zeit für eigene Gedanken mehr hatte. »In einem Plastikofen kann man kein Brot backen, Daddy. Das ganze Ding würde wegschmelzen.«

★★★

Jeden Abend saß er bei ihr auf der Bettkante, bis er dachte, sie sei eingeschlafen, streichelte die aufgedruckten Hasen am Fußende ihrer Bettdecke und erzählte ihr Geschichten, Bruchstücke aus seinem seltsamen und verworrenen Leben, bevor er Daddy geworden war.

»Als ich klein war«, erzählte er, »da hatte ich überhaupt keinen Sinn für Zeit und Ort. Ich zog von einer Militärbasis zur nächsten, von einer Schule zur nächsten, von einer Bande mit miesen Jungs, die nicht mit mir spielen wollten, zur nächsten Bande mit miesen Jungs, die auch nicht mit mir spielen wollten. Immer wieder verlor ich alles, und so bekam ich einen ganz eigenen Begriff davon, was im Leben zählt; und wie zu erwarten, zählen nicht die materiellen Dinge. Es geht nicht darum, was für ein Auto jemand fährt oder ob er den neuesten coolen Film gesehen hat. Wahres Glück und Erfüllung – das ist eher ein Ort, den wir immer in uns tragen, ganz gleich wo wir auf einer blödsinnigen Landkarte gerade sind. Mein Daddy war, wie man so sagt, ein harter Mann, Sal. Geschlagen hat er mich nie, aber ich habe auch nicht viel Zuneigung gespürt. Manchmal musste ich die Veranda mit der Zahnbürste schrubben; ein andermal musste ich auf der Veranda schlafen, in Unterhosen und ohne Decke, damit ich begriff, was Härte heißt. Nun bin ich vielleicht nicht mit der Art einverstanden, wie mein Daddy mir diese Dinge beibrachte, Sal – und ich verspreche dir, ich werde niemals die Art von Daddy sein, die dich die Veranda mit einer Zahnbürste schrubben lässt –, aber mit dem, *was* er mir beibrachte, bin ich durchaus einverstanden, und die wichtigste Lektion war die folgende: Wenn du die sinnlosen Rituale dieser Welt ertragen willst, musst du dich abhärten gegen das Materielle. Höre auf das in dir, was nicht von äußeren Umständen abhängt, Sal, und du wirst ein vollkommenes Leben haben. Eins, in dem du dir selbst immer treu bleibst.«

Die Bewegungen, mit denen er das Bett streichelte, waren gleichmäßig, lang und stets darauf bedacht, Sal nicht zu berühren. Wenn seine Finger an ihr Knie oder ihren großen Zeh stießen, und sei es auch nur für einen winzigen Augenblick, zuckte er zurück, als hätte er einen elektrischen Schlag erhalten. Mit jeder Handbewegung schien er sich ein wenig tiefer in seinen eigenen Körper zurückzuziehen, als gleite er auf der spiegelglatten Oberfläche eines fernen Sees davon, in der Schweiz vielleicht oder in Brasilien. Sal fragte sich jedes Mal, wohin er wohl ging, wenn er so davondriftete; sie hoffte, dass er sie vielleicht das nächste Mal mitnehmen würde. Es wäre schrecklich, wenn er sie in diesem viel zu großen Bett ganz allein zurückließe.

★★★

Jeden Morgen, wenn Daddy sich im Badezimmer wusch, kletterte Salome in das kühle, abgeschiedene Innere seines weißen VW-Busses und untersuchte die Waren, die er am Abend zuvor mitgebracht hatte. Manche Daddys arbeiteten im Büro, manche waren Bauarbeiter, aber Salomes Daddy lud spätabends Sachen ein und aus und brachte sie hierher in die Auffahrt, wo nur Salome sie berühren konnte. Schwarze ölverschmierte Autobatterien, aus denen eine strähniggelbe Flüssigkeit sickerte. Blech- oder Sperrholzstücke, zusammengefaltete Pappkartons, zerbrochene Styroporverpackungen. Reklameaufsteller von großen Frauen in kurzen Röcken, die Bier- oder Limonadendosen in die Höhe hielten; schwere Maschinenteile mit klebrigen Oberflächen, an denen Dinge sich drehten. Spulen, Anker, Schalter, Stecker und Steckdosen. Diese Dinge ließen sich miteinander verbinden, man konnte sie dazu bringen, dass sie gemeinsam etwas taten. Dieses hier, das sorgt dafür, dass das hier sich öffnet, überlegte Sal. Das Teil hier sorgt dafür, dass dieses sich schließt. An manchen Morgen steckte sie die schweren, rostigen Teile so zusammen, dass sie wie etwas aussahen, das tief auf dem Meeresgrund lebte. Ein Geschöpf mit Schrauben als Augen, Stromkabeln als Tentakeln und einem großen schiefen Maul mit runden Nietenzähnen. Das ist ja eine Überraschung, dich hier unten zu sehen, schien das Geschöpf zu sagen und Sal zuzunicken, als sie es von dem toten Meeresboden aufhob. Ein hübsches kleines Mädchen in einem frischen rosa Kleid.

Es war kühl hier in der Tiefe, dachte Sal. Die Welt drehte sich bedächtig im Kreise, und keiner arbeitete allzu schwer. Vielleicht weil der Planet ein gewisses

Maß an Schwung entwickelte. Hier unten konnte man stundenlang für sich allein sein und merkte überhaupt nicht, wie die Zeit verging. Genau der richtige Ort für einen Mann wie Daddy.

Manchmal hörte Sal allerdings noch eine weitere Stimme unten am Meeresgrund, zwischen den zerbeulten Elektrogeräten, den umherliegenden Schwungscheiben, den zerbröselnden Isomatten. Diese Stimme flitzte und huschte in jede Richtung, wie ein nervöser Schwarm von mikroskopisch kleinen Fischen.

»Ist so etwas ein Spielzeug für dich, kleines Mädchen? Das ist fürchterlich schmutzig. Solltest du nicht eigentlich in der Schule sein oder vor dem Fernseher sitzen? Wo hast du diese hässlichen Sachen überhaupt her? Weiß dein Daddy, dass du hier draußen bist? Warum legst du die Sachen nicht weg und spielst mit etwas Anständigem, mit Puppen oder Plastik-Teetassen?«

Sal spürte es immer, wenn die Vermieterin in der Nähe war. Scharfe kleine Funken der Bewegung stoben von ihr aus, als sei sie umgeben von einer Wolke aus statischer Elektrizität.

»Und meine Brille, kleines Mädchen? Hast du meine Brille irgendwo gesehen? Ich sehe bestens ohne meine Brille, aber ich brauche sie zum Zeitunglesen. Was ist das eigentlich für eine Arbeit, die dein Daddy macht? Möchtest du mir etwas von deinem Daddy erzählen, oder möchtest du mir lieber helfen, meine Brille zu suchen? Danach könnten wir zu mir ins Haus gehen und dir die schmutzigen Hände waschen. Wenn du mein kleines Mädchen wärest, ich würde nie zulassen, dass du so schmutzig wirst. Ich würde dich am Morgen gründlich schrubben, und dann müsstest du den ganzen Tag über sauber bleiben.«

Sie hieß Mrs. Anderson und trug einen dicken wattierten blauen Morgenrock, eine Schmetterlingsbrille und einen ausgebleichten, abgeschabten Button mit der Aufschrift »Olympia '84!«.

Immer wenn sie an das schmutzige, ölverschmierte Fenster des Busses kam, legte sie den Kopf schief und glotzte mit starzerfressenen Augen wie ein Fisch im Glas herein.

Mrs. Andersons Fragen waren nicht leicht zu beantworten. Aber das traf, wie Salome allmählich aufging, auf die meisten Fragen zu.

»Das weiß ich nicht«, sagte Salome einfach, stets bemüht, ihre Antworten klar, korrekt und so inhaltslos wie möglich zu halten. Sie hatte herausgefunden, dass sich die schwarzen Gummipolypen, die auf Zündkerzen steckten, an ihren Armen und Handgelenken befestigen ließen. Die Saugnäpfe hinterließen rote Flecken auf der Haut, wie Masern. »Ich glaube, Daddy ist selbstständig. Er erzählt mir nie, was er macht. Und Ihre Brille habe ich nicht gesehen. Aber ich verspreche Ihnen, wenn ich sie sehe, dann sage ich Ihnen Bescheid.«

Mrs. Anderson war der einzige Mensch, den Sal je gesehen hatte, der genauso viel rauchte wie Daddy – lange dünne Zigaretten, das Papier mit Blümchen und Kringeln bedruckt.

»Leg das weg!«, kommandierte Mrs. Anderson zwischen zwei Zügen. »Da kannst du einen elektrischen Schlag bekommen. Und wo ist dein Daddy jetzt, kleines Mädchen? Schläft er gern lang? Jeder halbwegs anständige Mann, den ich gekannt habe, hat gern lang geschlafen, das ist, als ob man mit den Toten lebt. Ist dein Daddy verheiratet? Ist er mit jemandem liiert? Vielleicht sollte ich mal vorbeischauen. Der Boiler in Bungalow 7 macht immer wieder Ärger. Wahrscheinlich sollte ich vorbeikommen und nach dem Boiler sehen, und bei der Gelegenheit kann ich auch nach meiner Brille suchen.«

Salome blieb, wo sie war, hinten im Laderaum des Wagens. Sie würde nirgendwohin gehen, es sei denn, Daddy brachte sie dorthin.

»Das weiß ich nicht«, sagte sie, ein wenig überrascht von ihrer eigenen Antwort. »Ich glaube nicht, dass er verheiratet ist. Aber ich bin nicht ganz sicher.«

Eine Frau wie Mrs. Anderson ließ sich nicht verblüffen. Sie wusste immer ganz genau, was sie sagen wollte.

»Du brauchst einen festen Lebenspartner, wenn du über die vierzig hinaus bist, kleines Mädchen. Aber bis dahin vergnüg dich mit so vielen Jungs, wie du nur haben kannst. Ich selbst, ich habe meinen Hauptpartner an die Drogen verloren; er war ein armseliger Kerl, der keinen Sinn für das rechte Maß hatte. Hat dein Daddy Sinn für das rechte Maß, kleines Mädchen? Oder ist er dir immer eher wie ein maßloser Charakter vorgekommen?«

Salome tat, als ob sie nachdächte. Sie wollte nicht zu früh gehen. Eine Frau wie Mrs. Anderson würde jemandem wie Sal überallhin folgen, bis sie bekommen hatte, was sie wollte. Wie der Hund, der beim Essen die ganze Zeit um den Tisch herumstreicht.

»Das weiß ich nicht«, sagte Sal und steckte sich noch mehr schwarze Gummipolypen an die Arme. »Das hängt wahrscheinlich davon ab, was man mit dem rechten Maß meint.«

★★★

An diesem Abend schlug der Regen in prallen Schwaden an die Türen und Fenster von Bungalow 7, ließ hinter dem Haus graue Wirbel aus Muscheln und Kieseln aufspritzen und wälzte sich durch den Garten wie große schwarze Bowlingkugeln.

»Wenn eine Frau wie Mrs. Anderson erst einmal Wind von einem Mann wie mir bekommen hat«, sagte Daddy bei einem Abendessen aus Rühreiern und Fischstäbchen, »dann lässt sie nicht locker, bis sie jeden Krümel seines Wesens mit dem Staubsauger aufgesaugt und jeden Tropfen seines Bluts aufgewischt hat. Sobald er die Augen aufschlägt, wird sie da sein, ihm auf die Stirne starren durch diese dicke Lesebrille, die sie dauernd verliert. ›Was ist das für ein kleiner schwarzer Fleck da?‹, wird sie fragen und ihn mit einem grauen, knorrigen Finger in die Stirn pieksen. ›Ist das eine Warze? Sind Sie deswegen beim Arzt gewesen? Nehmen Sie eine Haarspülung für diese Borsten? Haben Sie je von Feuchtigkeitscreme gehört?‹ Jede kleinste Kleinigkeit, die es über einen zu wissen gibt, wird sie in- und auswendig kennen wollen. Wie viele Jobs man gehabt hat, wo man die merkwürdige Narbe am Ellenbogen herhat. Sozialversicherungsnummer, Autokennzeichen, für wen man in der letzten Wahl gestimmt hat. Für Frauen wie die sind das Leckerbissen. Ich habe in meinem Leben eine Menge Mädels wie Mrs. Anderson gekannt, Schatz, und die halten es einfach nicht allein mit sich aus. Deshalb verbringen sie jede wache Minute mit der Suche nach starken, charakterfesten Männern wie mir und denken, sie können uns ihre Fußfesseln anlegen. Für Frauen wie die sind wir keine Individuen, Schatz. Wir sind für die nur Lieferanten von Fett und Profit. Wir sind nur auf der Welt, um ihnen ihre Türangeln zu richten oder die Rechnungen zu bezahlen. Und ob wir selbst damit glücklich sind, das kümmert die nicht. Wir sind nur ihr verlängerter Arm. Gerade gut genug, die Sachen zu tun, die sie nicht selbst tun können.«

Salome konnte mit den Fingerspitzen spüren, wie der Sturm in den dünnen Holzlatten des Tisches vibrierte; als befände sie sich in einer Séance mit dem Wetter. Sie aß ihre Fischstäbchen gern mit Ketchup, aber Ketchup war in Daddys Haus nicht erlaubt. Er fand, dass Ketchup, genau wie viele andere Sachen, die man in Supermärkten kaufen konnte, einem nur die Freude an einem schönen, kühlen Glas V8 verdarb.

»Das ist, als ob wir versuchen, uns in einer Welt zurechtzufinden, die uns nicht will«, sagte Daddy und betrachtete die Fetzen von Alufolie, die vor dem Fenster flatterten. »Wir versuchen zusammenzubleiben, aber die Welt reißt uns auseinander. Manchmal frage ich mich, Liebes, warum sich in so einer verrückten Welt überhaupt jemand die Mühe macht, ein guter Daddy zu sein; seine Tochter, so gut er kann, aufzuziehen. Auf lange Sicht ist nichts von Dauer, nicht einmal die Kindheit. Wenn man es sich richtig überlegt, sind Kinder wahrscheinlich die unzuverlässigsten Geschöpfe, die es gibt.«

★★★

In der Nacht lag Sal wach und horchte, wie das Wasser draußen über die Straßen lief, wie es in unsteten kleinen Strömungen und Gegenströmungen zusammenschwappte auf der Suche nach einer Stelle, wo es noch nicht gewesen war. Aber die Welt war zu nass für Wasser; es gab keinen Ort mehr, wohin es noch fließen konnte. Autos pflügten sich durch die Straßen, die Lichtkegel der Scheinwerfer streiften die Fenster; und etwas Unbestimmtes, erst halb Gestaltgewordenes suchte sich langsam einen Weg durch die Nacht.

Vielleicht eine Eule, dachte sie. Ein Wolf, ein Alligator oder ein Fuchs. Oder es war ein anderer Daddy in einem anderen Lieferwagen, mit anderen Vorstellungen davon, was man essen und was man anziehen sollte. Vielleicht war da draußen nicht genug Platz für all die Daddys, die durch die Gegend irrten und nach Stellen suchten, an denen sie noch nicht gewesen waren, nach Kindern, die sie noch nicht kannten. Vielleicht waren Daddys gar nicht so viel anders als Wasser. Immer unterwegs zu neuen Orten, in immer neuen Formen, die sie wieder verloren, wie Uhren, die in verborgenen Höhlen unsichtbar tropften. Wenn sie zu lange an einem Ort blieben oder dieselbe Form behielten, würden die Mächte, die sie verfolgten, sie finden. Dann würden sie verschlungen und zu etwas ganz anderem verwandelt werden, als sie eigentlich sein sollten.

»Kleines Mädchen? Hallo? Alles in Ordnung da drin bei dir? Lässt du mich rein? Ich habe gehört, wie dein Daddy weggefahren ist, und ich dachte, vielleicht fürchtest du dich. Möchtest du mitkommen und bei Mrs. Anderson bleiben, bis dein Daddy zurück ist? Funktionieren die Elektroanschlüsse noch? Sind die Abflüsse in Ordnung? Läuft das Wasser? Habt ihr überhaupt ein Telefon? Wie kann denn jemand in so einem Haus leben ohne Telefon? Lass dir eins gesagt sein, kleines Mädchen, ich verstehe die Männer einfach nicht. Die haben keine Ahnung davon, wie man ein kleines Mädchen großzieht.«

In dem Moment traf der gewaltige, gestaltlose Sturm, wie ein himmlisches Ausrufezeichen, das Dach mit einer mächtigen baumgedämpften Faust, dass die Vorhänge sich bauschten und die Fußböden knarrten. Selbst die Aluminiumfetzen an den Fenstern klirrten leise, und irgendwo im Verborgenen zischte etwas. Ein Wasserkessel oder ein Rohr.

»Kleines Mädchen! Ich schließe mir jetzt mit meinem eigenen Schlüssel auf! Steht Wasser auf dem Fußboden? Das letzte Mal, als es so wild geregnet hat, war der ganze Boden überschwemmt! Nicht dass du denkst, ich bin neugierig, kleines Mädchen! Ich muss mich nur vergewissern, dass meine neuen Fußböden nicht unter Wasser stehen!«

Wenn man lange genug wartete, dann kam es und holte einen. Es würde keinen Gedanken an die Häschen verschwenden oder die Bettdecken oder die Spielzeugküche oder an sonst irgendetwas von all dem, was man aufgebaut hatte, damit dieser unbeständige Raum beständiger wirkte.

Es würde einfach die Arme um einen schlingen und einen an sich drücken. Es würde einem all die Geheimnisse offenbaren, die man eigentlich nicht wissen durfte.

★★★

»Die Männer laufen vor der Liebe davon, das ist ihre Natur«, sagte Mrs. Anderson am nächsten Morgen zu Sal. Sie saßen in einer freundlichen blauen Frühstücksecke und aßen Eier, Speck und Hüttenkäse. An den Wänden hingen kleine Plastikfiguren von

Jesus, wie er am Kreuze starb, Schmetterlinge unter Glas und verblasste Fotografien von hässlichen Kindern, die finster in die Kamera starrten. »Wenn sie die Liebe kommen sehen, machen sie sich davon, das ist bei ihnen ein angeborener Instinkt. Ein Mann, das ist im Grunde ein einsamer Wolf, kleines Mädchen, der in seinem großen weißen VW-Bus durch die Steppe streift, und wenn es irgendwo brenzlig wird, dann läuft er wie der Teufel.« Mrs. Anderson hatte eine große blaue Plastikblase auf dem Kopf, unter der sich die Lockenwickler abzeichneten. Sie rauchte lange Zigaretten und drückte sie mit energischen kleinen Bewegungen in ihrem halb aufgegessenen Spiegelei aus, als zerquetsche sie damit jeden Mann, den sie je gekannt hatte; einen Irrtum nach dem anderen.

»Glaub mir, kleines Mädchen. In den letzten zwölf Jahren haben sich bei mir fünf Männer davongemacht, und die waren so verschieden, das hätten fünf verschiedene Tierarten sein können. Aber in einem Punkt, da waren sie alle gleich, und das war ihre Angst vor der Liebe, davor, Verpflichtungen einzugehen, vor ehelicher Harmonie. Solange ich sie *nicht* liebte, da ging die Post ab, da sind wir prima miteinander ausgekommen. Ja, solange ich sie *nicht* liebte, da hingen sie ständig hier rum, da waren sie nirgends lieber als bei ihrem heißen Schnuckelpüppchen. Sie reparierten die Löcher im Dach. Sie machten Klempner- und Elektroarbeiten. Eine Zeitlang hatte ich alles, was eine Frau sich wünschte – Sex am Nachmittag, Pizza und Zigaretten auf Bestellung und einen tüchtigen Mann, der Fußböden verlegte und Vorhänge aufhängte. Sie waren halbwegs höflich und rücksichtsvoll, mancher war sogar ganz ansehnlich; aber irgendwann begann ich eine Zuneigung zu entwickeln. Ich versuchte, sie zu unterdrücken, aber sie sprudelte einfach in mir hoch, wie der natürliche Mineralquell, den jede Frau in sich hat, die heilende spirituelle Kraft der weiblichen Natur. Und dann bekamen sie Angst, und je mehr Angst sie bekamen, desto mehr mochte ich sie, es war eine Kraft, eine Gravitation, die mich in den Untergang riss. Nach einer Weile konnte ich nicht mehr ohne sie leben. Ich wollte sie umarmen und nie wieder loslassen, ich wollte ihnen all ihre Lieblingsgerichte kochen. Nachts wachte ich auf und musste mich vergewissern, dass sie atmeten, eine richtige Obsession war das. Und nachdem mich schließlich so viele Männer verlassen hatten, dass ich die Namen gar nicht mehr alle weiß, kam da ein Junge – na, eigentlich ein Mann –, Roy Hattersfield, der hat mir den Rest gegeben. Ich liebte Roy Hattersfield dermaßen, dass ich, schon ein paar Tage nachdem wir zum ersten Mal miteinander geschlafen hatten, anfing zu prüfen, ob er noch atmete. Ich nahm sogar Beruhigungsmittel dagegen, aber es half alles nichts. Ich wartete bis spätabends; ich spürte, wie er einschlief, und sofort hörte ich seinen rauen Atem, ein und aus, ein und aus, und dann wurde das Geräusch immer leiser und hörte schließlich ganz auf, gerade wenn er auf dem Rücken schlief. Dann ging ich ins Bad und holte den kleinen Handspiegel, den ich beim Beinerasieren brauchte, und hielt ihm den unter die Nase. Wenn er atmete, hinterließ er eine kleine feuchte Spur auf dem Glas. Wie einen Hauch seines Geistes, den er durch die Nase ausstieß. So zart, so fein, fast wie ein Tröpfchen Zuckerwasser, und manchmal konnte ich einfach nicht anders, ich gab der Versuchung nach, lehnte mich vor und kostete es mit der Zunge. Es schmeckte wie das kühlste Wasser, das man sich nur vorstellen kann. Ich hatte mir Geist immer warm und streng im Geschmack vorgestellt, aber das stimmt nicht. Es ist eher kühl und süß. Ich nahm ihn auf die Zungenspitze und fuhr mir damit über die Lippen, und ich spürte, wie der Geist in meinen Körper eindrang, ich spürte, wie die Zuneigung in meinem Inneren wieder anschwoll, diese Zuneigung, die nicht gut für mich war, mächtiger, als wenn man ein Baby im Bauch hat. Glaub mir, kleines Mädchen, ich habe in meinem Leben beide Formen der Fülle gekannt, und diese, die ist besser. Manchmal starrte ich ihn so intensiv an, dass er plötzlich die Augen aufschlug und mich mit dem Spiegel sah, vielleicht gerade wenn ich seinen Geist mit der Zungenspitze kostete, als wollte ich ihn zum geschlechtlichen Umgang auffordern, und dabei hatte ich so eine Aufforderung nicht im Entferntesten im Sinn. Dann eines Nachts schoss Roy Hattersfield – falls er wirklich so hieß – so plötzlich im Bett hoch, dass ich beinahe meinen Spiegel fallen ließ, und starrte mich an, als ob ich verrückt wäre. Danach ging es rapide bergab mit unserer Beziehung – gar nicht zu reden davon, dass es auch mit Roy Hattersfield rapide bergab ging. Er rührte mich nicht mehr an, er liebte mich nicht mehr, er half mir nicht mehr, die Risse in Bungalow 12 zuzuspachteln. Wenn eine Beziehung zerbricht, kleines Mädchen, dann ist es immer die Frau, die sich schuldig fühlt, obwohl sie nichts daran ändern kann. Damals hatte ich zwei Kinder großzuziehen, das musste ich immer bedenken. Ich konnte nicht einfach Roy Hattersfield nachlaufen, so sehr ich ihn mir auch zurückgewünscht hätte. Das wäre ja nun wirklich eine Heldentat gewesen, wenn ich meine Kinder mit Rohrfrei und Silberpolitur alleingelassen hätte, um einem Mann wie Roy Hattersfield nachzulaufen. Zumal ja Roy Hattersfield nicht einmal ihr echter Daddy war.«

⋆⋆⋆

Daddys Eindruck schwand bereits aus den überfluteten Räumen von Bungalow 7, wo grünes Wasser als dicker schimmernder Film Holzböden und Teppiche überzog wie eine Schutzplane ein Baseballfeld. Wenn das Sonnenlicht im richtigen Winkel durch das trübe Fenster auf die Wasserhaut traf, glitzerten die Wanzen und Milben, die Zigarettenstummel und grauen Blätter, die sich in trägem Chiaroscuro drehten, wie Sterne und Elementarteilchen. Am nächsten Morgen sahen sie sich die Wohnung an, und Sal wusste nicht recht, wonach sie suchten. Sie war verwirrt von der paradoxen (und gar nicht so unattraktiven) Art, mit der Mrs. Anderson immer wieder von »Sals Sachen« sprach.

»Hast du denn kein Spielzeug und keine Bücher, kleines Mädchen? Was ist mit Puppen? Wo ist deine Lieblingspuppe? Gott, stinkt das hier. Hat dein Daddy je die Toilette saubergemacht? Was ist das überhaupt, was da wächst? Ich habe noch nie eine Pflanze aus einer Toilette wachsen sehen. Vielleicht nur gut, dass dein Daddy sich davongemacht hat. Ich bin ja keine von diesen Leuten mit Putzfimmel, von denen man hört, aber eine Pflanze, die aus der Toilette wächst, das ist zu viel. Du hast ja überhaupt keine Vorstellung, was für einen Schaden die Wurzeln von so etwas in den Rohren anrichten können. Und einen anständigen Klempner finden, der sich mit solchen Sachen auskennt? Vollkommen unmöglich. Ja, was haben wir denn hier? Das sieht doch mal aus wie ein richtig schönes Spielzeug für ein Mädchen in deinem Alter. Jedenfalls sieht es nicht aus wie etwas von deinem Daddy. Ich kann mir nicht vorstellen, dass dein verrückter Daddy so getan hat, als ob er Kuchen und Pasteten bäckt.«

Herd. Backofen. Spülmaschine. Schwammen in seltsamen Winkeln in drei Zoll grünem Wasser. Erinnerungen und Unrat hatten sich daran verfangen wie die Pflanze in der Toilette.

Manchmal wussten sie so was nicht, und dann musste man es ihnen erklären.

»Das ist meine Spielzeugküche«, erklärte sie Mrs. Anderson. »Aber ich glaube, von jetzt an koche ich nicht mehr. Wir können sie genauso gut hierlassen.«

★★★

Das Leben mit Mrs. Anderson war genau wie vorher, nur anders. Man wachte gemeinsam auf, frühstückte gemeinsam, ging gemeinsam einkaufen und sah gemeinsam fern, so als ob man mit einer kurzen, straffen Sehne an der Hüfte miteinander verwachsen sei. Selbst wenn man aufs Klo ging, kam Mrs. Anderson mit, saß auf dem Rand ihrer strahlenden, makellos reinen weißen Badewanne und zog den Duschvorhang zurück, damit sie Platz zum Gestikulieren hatte. Mrs. Anderson war nicht so verschlossen wie Daddy. Sie hatte immer etwas zu sagen, und es war ihr egal, wer dabei zuhörte.

»Das Letzte, was wir tun sollten, kleines Mädchen, das wäre die Leute von der Kinderfürsorge kontaktieren. Mit denen habe ich im Laufe der Jahre meine Erfahrungen gesammelt, das kannst du mir glauben. Wenn die Leute von der Kinderfürsorge erst einmal auftauchen, mit ihren Schreibbrettern und ihren Klecksbildern, du kannst dir gar nicht vorstellen, was die dann alles wissen wollen. Haben Sie Ihr Baby angefasst, hat das Baby nachts geweint, haben Sie vor den Augen Ihres Babys Drogen genommen, kommt es jemals vor, dass Sie nachts aufwachen und besorgt um Ihr Baby sind, welche Art psychopathischer Kinderschänder sind Sie überhaupt? Heilige Einfalt. Als ob sie den ganzen Tag lang nur dasitzen und sich neue Methoden einfallen lassen, wie jemand Kinder schänden kann, und dann wollen sie wissen, ob man so was vielleicht macht. Haben Sie Ihr Baby jemals körperlich verletzt? Haben Sie Ihr Baby jemals psychisch verletzt? Natürlich habe ich das, verflucht noch mal, ich bin Mutter, und so was kommt eben vor, wenn man ein Baby hat. Sie fallen einem aus der Hand, und dann hebt man sie wieder auf. Sie gehen im Supermarkt verloren, und dann findet man sie wieder. Sie verbrennen sich schon mal, wenn man sie am Herd dabeihat, und werden von der Nadel gestochen, wenn man Knöpfe annäht. Liebe Güte, es ist verdammt noch mal ein Baby – die sind nicht für die Ewigkeit gemacht. Und die Beule da, das blöde Ding ist eben hingefallen und hat sich den Kopf gestoßen, so was *passiert* bei einem Baby. Aber meinst du, die hören zu? Natürlich nicht. Und jetzt nehmt bitte eure bescheuerten Schreibbretter und verschwindet!«

Es kam oft vor, dass Mrs. Anderson plötzlich losbrüllte. Danach sank sie in sich zusammen und saß versonnen da, die Brillengläser beschlagen und trüb.

»Wenn du also auch nur eine Minute lang glaubst, ich lasse diese Leute von der Kinderfürsorge noch einmal hier ins Haus«, sagte sie mit einem Seufzer, »dann hast du dich getäuscht. Ich habe zwei Kinder an diese Leute verloren. Ich habe nicht vor, ein drittes zu verlieren.«

Salome saß auf der Toilette und hielt ihre knochigen Knie zusammen, und sie dachte an den Ölfleck in der Auffahrt, da wo Daddys weißer VW-Bus gestanden hatte. Irgendwie hatte dieser Fleck etwas ausgesprochen Tröstendes; es war wie der Raum unter einem wohlvertrauten Bett, wo man sich vor der Welt verstecken konnte und erst wieder herauskam, wenn man bereit dafür war. Ihre löchrige, ölverschmierte Wolldecke auf dem Rücksitz des weißen Lieferwagens erfüllte wahrscheinlich jetzt in diesem Augenblick einen ähnlichen Zweck für Daddy. Sie markierte einen Ort auf der Welt, an dem sich absolut nichts befand.

»Was machst du da, kleines Mädchen? Hat dir dein Vater nicht beigebracht, wie man sich abwischt? Hier, nimm das.«

Mrs. Anderson faltete energisch drei Stück Toilettenpapier zusammen wie die Blätter eines wichtigen Briefs.

»So macht man das. Drei Blätter sind reichlich. Und wenn du fertig bist, gründlich spülen. Ich will nicht, dass Unkraut rauswächst wie bei deinem Daddy. Dann zieh deine Hosen hoch und steig ins Auto. Ich muss Zigaretten kaufen, Eier, Speck und eine halbwegs anständige Fernsehzeitung.«

* * *

Inzwischen sah Sal es schon aus tausend Meilen Entfernung.

»Das Wasser fließt nicht ab«, erklärte der Mann, der in einem großen grünen Lastwagen mit der Aufschrift *Daves Drainagen und Transporte* gekommen war. »Und mit dem Grundwasserspiegel hier stimmt irgendwas nicht. Wer hat Ihnen gesagt, dass Sie über so einem Grundwasserspiegel bauen können? Der muss ja verrückt gewesen sein.«

Mrs. Anderson trug ihren nagelneuen wattierten blauen Morgenrock. Sie reckte den Kopf in das Blickfeld des Mannes, wann immer er sich abwandte. Früher am Tag waren sie zu Sears in Burbank gefahren und hatten den neuen Morgenrock gekauft, zusammen mit leuchtendrosa Nagellack, rosa Lippenstift und einem neuen Paar blauer Plüschpantoffeln. Aber der Mann, der mit dem Lastwagen gekommen war, kümmerte sich kaum um Mrs. Andersons Morgenrock und die glitzernden rosa Fingernägel. Stattdessen richtete er seinen Monolog direkt an Salome, die ein weites wasserfleckiges Kleid anhatte, aus einem von Daddys alten verwaschenen grauen Sporthemden zurechtgeschnitten.

»Wir müssen also das Wasser mit einer Pumpe aus dem Haus holen, und dann graben wir Ihnen eine Sickergrube. Und wir brauchen einen ordentlichen Abfluss für den komischen Grundwasserspiegel, den Sie hier haben. Einen Voranschlag kann ich Ihnen erst geben, wenn ich mit dem Graben begonnen habe. Manchmal ist einfach nur Sand da unten, manchmal ist es massiver Fels. Und wenn es Fels ist, dann machen Sie sich auf was gefasst. Der Fels, der geht ins Geld.«

Das Unkraut lag zu einer einzigen großen, matschigen Masse aus Kletten und grauen, schleimigen Stängeln plattgedrückt. Wenn Salome sich umsah, sah sie drei Bungalows, die einen Halbkreis wie Planwagen bei einem Indianerüberfall bildeten. In zwei Fenstern standen ältliche Latinafrauen und betrachteten ihr eigenes Spiegelbild. Es war, als lebten sie in einer anderen Welt als Salome, wo niemand sie sah oder hörte. Sie sahen und hörten sich selbst kaum.

»Das ist ein süßes kleines Mädchen, das Sie da haben«, sagte der Mann, der mit Daves Lastwagen gekommen war, zu Salome. »Und anders als die meisten anderen süßen kleinen Mädchen ist sie ausgesprochen wohlerzogen.«

Das war der Augenblick, in dem Salome die Sonnenblume sah. Sie stand ganz am anderen Ende des Grundstücks, ein großes gelbes, pockennarbiges Gesicht, eingefasst von grünen Blättern. Sie mühte sich, Sal auf sich aufmerksam zu machen.

»Sie hat auch ihre Schattenseiten«, sagte Mrs. Anderson zu dem Mann, der mit dem Lastwagen gekommen war. Sie zeigte ihm nach wie vor ihren neuen Morgenrock, klappte das rechte Revers vor und zurück, als wolle sie eine Fernsehantenne ausrichten. »Sie sagt kaum ein Wort, und sie isst wie ein Scheunendrescher. Sie können sich überhaupt nicht vorstellen, wie viel sie isst. Es ist, als ob man ein bodenloses Loch im Hause hätte, und das direkt neben dem Kühlschrank.«

Salome spürte den Blick des Mannes im Rücken, als sie quer durch den Garten ging, um sich die große, gebeugte Sonnenblume anzusehen. Die Sonnenblume war in schlechter und vorwurfsvoller Stimmung. Sie wollte wissen, warum Salome sie anstarrte; und als sie das dachte, konnte Sal mit dem Denken gar nicht mehr aufhören.

»Tja«, sagte der Mann, »man muss sie füttern, das geht nicht anders. Sonst bekommen die verfluchten Leute von der Kinderfürsorge Wind von der Sache. Und bis die Burschen fertig mit einem sind, da weiß man nicht mal mehr, wie die Kleine heißt oder wie sie aussieht. Ich habe genug mit Leuten von der Kinderfürsorge zu tun gehabt, Lady, glauben Sie mir. Ich weiß, wovon ich rede.«

***

Der Mann, der mit Daves Lastwagen gekommen war, konnte gar nicht glauben, auf wie viel Fels er stieß oder wie schwer es war, Bungalow 7 trockenzulegen. »Morgen geht's weiter«, sagte er Tag für Tag, wenn er seine langen gerippten Schläuche im Garten aufrollte, wo sie den ganzen Tag über gelegen hatten wie die Tentakeln eines erschöpften mechanischen Oktopus. »Nicht zu fassen, wie sehr solche alten Kloaken den Abfluss verstopfen können. Und vom Grundwasserspiegel hatte ich ja schon gesprochen. Das Grundwasser hier in der Gegend, das spielt völlig verrückt.«

Am nächsten Morgen war er wieder da und am Morgen danach auch. Rollte graue Plastiktentakeln im Garten aus und steckte ihre sabbernden Mäuler durch die Türen der überfluteten Bungalows. Bald darauf tuckerte die Entwässerungspumpe und spie Qualmwolken aus wie eine Fabrik, und der Mann saß allein in seinem Lastwagen, trank Bier, aß Fertigsandwiches und hörte sich Sportberichte im Autoradio an.

Sal war vorsichtig, wenn sie nach draußen ging. Sah der Mann sie, bevor sie ihn sah, war das eine Niederlage. »Bleib ein bisschen bei mir, kleines Mädchen«, sagte der Mann. »Willst du dich zu mir setzen? Willst du mir bei der Arbeit helfen?«

Sal wollte nicht unfreundlich sein. Sie fand es nur einfach besser, wenn sie den Leuten aus dem Weg ging.

»Die Sonnenblume gibt dir keine von diesen köstlichen Kartoffelchips mit Barbecuegeschmack, kleines Mädchen. Möchtest du von meinen Kartoffelchips mit Barbecuegeschmack? Die schmecken richtig gut und sind nicht halb so ungesund wie das meiste Junkfood, das ich dir aufzählen könnte.«

Kartoffelchips mit Barbecuegeschmack waren Sals liebste Kartoffelchips auf der ganzen Welt.

»Du siehst einsam aus, kleines Mädchen, du hast niemanden, mit dem du spielen kannst. Als ich klein war, da war ich nie so einsam wie du. Ich hatte

Freunde im ganzen Viertel, wir haben uns immer was ausgedacht. Sportverein, Baseball, Bowling. Irgendwas mit dem Brennglas umbringen, oder wir haben uns in die Häuser von anderen Leuten geschlichen. Weißt du, was das Seltsamste ist, wenn man sich in die Häuser von anderen Leuten schleicht? Dass es sich überhaupt nicht seltsam anfühlt. Fast als ob man da hingehört, sogar wenn man sich unter dem Sofa versteckt und die Leute kommen nach Hause und sehen einen nicht. Fast als ob sie wissen, dass man da ist, und einfach mitspielen. Da kann einem nichts Schlimmes passieren. Man fühlt sich warm und wohlig.«

Die Sonnenblume ließ sich immer mehr hängen vor lauter Sorge wegen all dem Wasser, das einfach nicht wegging. Salome hatte versucht, sie mit Pappstreifen zu stützen, mit Stöcken, Kleiderbügeln, allem, was sie fand, aber es gab Dinge, die konnte man nicht aufhalten. Diese Sonnenblume hatte zu viel gesehen. Sie war erschöpft von all dem Wissen. Einen braunen Arm hatte sie schon verloren, einfach abgegangen wie der Ärmel von einem alten Mantel. Das narbige gelbe Gesicht war von Raupen zerfressen.

»Der Mann will nett zu dir sein«, sagte Mrs. Anderson eines Tages mit unheilvoller Stimme zu Sal, genau wie Sal es vorhergesehen hatte. Mrs. Anderson hatte Lippenstift, Rouge und Lidstrich aufgelegt und sah wie eine von den schrundigen, halb lebendigen Puppen aus, die einen von den Holztischen der Trödelhändler oder Wohltätigkeitsbasare anstarrten. »Du solltest ihn auch mehr beachten, kleines Mädchen. Du solltest nett zu ihm sein. Er möchte mehr über uns wissen. Er gibt nur seiner natürlichen gottgegebenen Neugier nach. Sag ihm, dass ich geschieden bin, nein, unverheiratet, nein, dass mein Mann im Krieg umgekommen ist. Sag ihm, dass diese ganze Anlage hier mir gehört, dass ich mich mit dem Gedanken trage, mein Testament zu machen, mir fehlt nur noch ein guter Notar. Und wo wir gerade dabei sind: Deinen Daddy erwähnen wir vorerst lieber nicht. Wir wollen ja nicht, dass die Geschichte zu kompliziert wird und wir womöglich diesen netten Mann vergraulen.«

★★★

Während die Sonnenblume in dem überschwemmten Garten immer kleiner wurde, in sich zusammensackte wie ein zerbrochener Drachen, brachte Salome heiße Suppen und Thermoskannen mit Kaffee zu dem Mann im Lastwagen, der jedes Mal auf dem zigarettenversengten und sonnenrissigen Kunstledersitz die Brotkrümel und Zeitungen beiseitewischte, damit sie sich zu ihm setzen konnte. Er ließ sie sogar mit den großen grünen Knöpfen und Schaltern am Armaturenbrett spielen, sie durfte Hebel ziehen, Rädchen drehen und große Chromknöpfe drücken, die anscheinend keinerlei Funktion hatten. Sie schienen nur für sich selbst da zu sein.

Wenn der Mann alles aufgegessen hatte, mit einer neuen Krümelschicht bedeckt, erzählte er ihr von sich. Auch wenn sie ihn nicht danach gefragt hatte.

»Ich hatte auch so ein süßes kleines Mädchen, wie du eins bist«, sagte er. »Sie hatte blondes Haar wie du und Naturlocken wie du und große lange Wimpern wie du. Und auch wenn ihre Mommy und ich nicht verheiratet waren, nannte sie mich immer Daddy, und ich durfte Hoppereiter mit ihr spielen und Ausflüge in den Park mit ihr machen.«

Das war der Punkt, an dem er Salome wie ein Zauberer einen Kartoffelchip mit Barbecuegeschmack zeigte, den er zuerst in die eine Richtung drehte, dann in die andere. Das ist ein vollkommen makelloser kleiner Kartoffelchip, schien er zu sagen. Genau wie du.

»Möchtest du Hoppereiter spielen, kleines Mädchen?«, sagte der Mann schließlich und steckte sich den großen Kartoffelchip in den Mund, aß ihn mit langsamen, methodischen, rhythmischen Kaubewegungen. »Möchtest du, dass ich mit dir in den Park gehe und dich auf der Schaukel anschubse?«

Salome blickte durch das schmutzige Fenster auf die dahinsiechende Sonnenblume. Dann blickte sie zur Tür von Mrs. Andersons Haus. Mrs. Anderson, die in Kosmetikfarben strahlte wie jemand auf einem schlecht eingestellten Farbfernseher, fuchtelte ungeduldig mit den Händen. »Mach weiter!«, sagten die ungeduldigen Hände zu Salome, als scheuchten sie Fliegen zu einem Fliegenfänger. »Sieh zu, dass du vorankommst! Wir haben nicht den ganzen Tag Zeit!«

Salome tat, als dächte sie eine Weile darüber nach. Dann sagte sie: »Ich war heute schon im Park. Und im Augenblick ist mir nicht nach Hoppereiter zumute.«

Die Sonnenblume dagegen winkte überhaupt nicht mehr. Sie sank zusammen. Verabschiedete sich von dem Leben, das beinahe vorüber war.

Salome steckte die Hand in den zerknitterten Mund der Chiptüte, ohne sie zu berühren. Dann, lautlos, ohne das kleinste verräterische Knispeln oder Rascheln, holte sie einen kleinen, runden Kartoffelchip heraus. Er passte genau auf ihre Zunge.

Jetzt gehörte er ihr. Und konnte nie wieder ihm gehören.

Sie zeigte dem Mann, der mit Daves Lastwagen gekommen war, den Kartoffelchip auf ihrer Zunge, als präsentiere sie ein kleines, winzig kleines Geschenk. Dann schloss sie den Mund, kaute den Kartoffelchip und schluckte.

»Aber morgen könnten wir vielleicht darüber reden«, gestand sie ihm schließlich zu. Manchmal musste man den Leuten die Entscheidung abnehmen; es war zu viel Verantwortung für jemanden, der einen Lastwagen fuhr. »Aber Mrs. Anderson erzählen wir es nicht. Sonst will nämlich Mrs. Anderson auch mit.«

Wie sie gerettet wurde

Es war, als gehöre die Welt, die früher anderen gehört hatte, plötzlich auch ihr. Sie stand auf, wann sie wollte, ging zu Bett, wann sie wollte, ging in die Küche und aß, was sie wollte, ging ins Bad oder in den Park oder trank Saft, wann sie wollte, und niemand versuchte ihr Vorschriften zu machen – wenn sie etwas tun wollte, dann tat sie es einfach. Wenn sie Erdnussflips und Brezeln zum Frühstück wollte, aß sie Erdnussflips und Brezeln. Wenn sie bei fremden Leuten im Garten in einem Liegestuhl schlafen wollte, in die Hundedecke gewickelt und mit einem alten Paar Ohrenschützern, das sie irgendwo gefunden hatte, auf dem Kopf, dann machte sie das. Manchmal fuhren die Leute, bei denen sie wohnte, tagelang weg, und dann konnte sie im Haus tun und lassen, was sie wollte. Sie blieb die ganze Nacht auf und schlief den ganzen Tag und ließ den Fernseher laut an; sie wickelte sich in Duschvorhänge und tanzte in der Wanne. Ihre einzige Verpflichtung bestand darin, zu denen, bei denen sie gerade wohnte, genauso höflich zu sein wie diese zu ihr, also ihnen nie mit persönlichen Fragen nach ihrem Kommen und Gehen zur Last zu fallen.

»He, Mäuschen!«, riefen sie, wenn sie mit Päckchen und Koffern beladen zur Haustür hereinkamen, flaschen- und schlüsselklimpernd. Manchmal nannten sie sie »Püppchen« oder »Mädel« oder »Rabauke« oder »Kumpel« (es gab sogar einen weißhaarigen alten Herrn, meist ausstaffiert mit schwarzem Leinenanzug und beigefarbenem Kaschmirschal, der sie gern »Lucy« nannte). Und immer brachten sie ihr Geschenke mit – Leckereien aus dem Lebensmittelladen, Puppen in knisternder Kunststoffverpackung, Schokoladenriegel groß wie eine Badezimmerwaage und Comics mit Superhelden. »Haben wir dir gefehlt? Hast du alles gefunden, was du brauchtest? Schau, wir haben dir auch wieder Erdnussflips mitgebracht, die magst du doch so, und hier diese superbilligen Kindervideos aus dem Wohltätigkeitsladen, mit, warte mal, das sind Glücksbärchis, und auf dem hier ist Snoopy. Hast du überhaupt schon mal einen Snoopy-Cartoon gesehen, Mäuschen? Wer Snoopy nicht gesehen hat, hat nicht gelebt.« Diese Begrüßungen waren Sals liebste Gruppenaktivität mit fremden Leuten. In diesen kurzen Minuten oder Stunden war es, als gehörten sie alle zusammen.

Sie lagen gemeinsam vor dem Fernseher, die Leute streichelten ihr das Haar, und sie rollte sich auf ihrem Schoß zusammen wie ein großes, knochiges Kätzchen, eingewickelt in uralte Bettwäsche aus staubigen Schränken oder vom Dachboden. Die Wäsche roch nach Veilchenseife, nach Mottenkugeln und Schneckenschreck. Das war wohl Salomes liebste Duftkomposition auf der ganzen Welt.

»Was für schönes goldenes Haar du hast«, sagten sie zu ihr. Der Rhythmus, mit dem ihre rauen Hände darüberstreichelten, wurde immer gleichmäßiger und sanfter. »Woher hast du nur so weiches, seidiges Haar? Und deine Haut ist so rosig und frisch, wie ein wunderschöner nagelneuer Seidenschal, den noch nie jemand gewaschen hat. Wie ist es nur möglich, dass wir ein so bezauberndes kleines Geschöpf gefunden haben, wie es da an der Schnellstraße entlangging und eine weggeworfene Apfelsine aß? Bist du nicht froh, dass wir dich gefunden haben, Schatz? Vielleicht machen wir dir irgendwann ein eigenes Zimmer im Untergeschoß zurecht. Hättest du gern ein eigenes Zimmer im Untergeschoß, Schatz? Du musst es nur sagen, dann bekommst du es.«

***

Oft schlief sie auf ihrem Schoß ein, aber genauso oft kam es vor, dass *sie* vorher einschliefen. Das Streicheln der rauen Finger wurde langsamer, dann hörte es auf. Das Atmen ließ nach; sie schnarchten. Ihre Arme schienen umso schwerer, je mehr sie ermatteten, als halte nur der wache Geist sie wie einen Korken auf der Oberfläche der toten Materie, bis es schließlich Salome darunter zu heiß und eng wurde. Sie konnte die fremden Arme nicht wegheben; sie konnte sich nur drehen und winden, konnte die

Umklammerung gerade weit genug lockern, dass sie herausschlüpfen konnte, sich aus jener Abwesenheit von Kraft befreien, die sie stets bei Menschen fand, wenn sie nur genau genug hinsah. Wenn sie dann schließlich neben ihnen stand und der Klang ihres eigenen Atems von dem der anderen wieder zu unterscheiden war, konnte sie sie kühl betrachten, wie Bauwerke durch ein Münzfernrohr; der Mund hing ihnen offen, sie sah Goldzähne schimmern, Füllungen aus einem stumpfen Metall, die geäderte, feuchte Zunge. Das war, als ob man in die Zukunft blickte, dachte Salome, wenn man in solche Münder sah. Tiefe pulsierende Höhlen voller Wesen, die halb Mensch und halb Roboter waren und halb etwas ganz anderes und die dort summend ihren Weg auf vorgegebenen Bahnen zogen. Die Daten sammelten, Steine ausgruben, alte Routinen aufnahmen. Die immer und ewig dasselbe taten.

★★★

Es war nicht wie im Film, wo kleine Mädchen auf der Schwelle von wohltätigen, kinderlieben Einrichtungen mit Milchglasfenstern und großen Messingtürklopfern abgelegt werden. Meist fuhren sie sie nur an den Stadtrand und ließen sie da mit einer Einkaufstüte vollgestopft mit allerhand Vorräten sitzen: einer alten Wolldecke, einer Flasche Wasser, mehreren Päckchen Fertigmahlzeiten und einer ganzen Rispe kernloser grüner Trauben in Wachspapier. Dann gingen sie, mehr zum eigenen Trost als dem ihren, ihre Checkliste durch. Denn Leute begegneten ihr zwar in den unterschiedlichsten Formen, Größen und religiösen Überzeugungen, aber Checklisten mochten sie immer. Was sie brauchten und mitgebracht hatten; was sie nicht brauchten und dalassen konnten.

»Hast du Wäsche zum Wechseln? Und diese Müsliriegel, die du magst?«

»Ja. Hier. Und da drüben sind noch mehr.«

»Papierhandtücher, Desinfektionstücher, Pflaster? Und die Nummer des Sheriffs, falls irgendwas passiert, und eine Rolle mit 25-Cent-Stücken? Jetzt sag's mir nochmal. Wenn etwas Schlimmes passiert, was machst du dann?«

»Ich rufe beim Sheriff an.«

»Und wenn Fremde dich anfassen wollen, wo es sich nicht gehört?«

»Ich sage, sie sollen aufhören. Dann rufe ich beim Sheriff an.«

»Wie ist das mit dem Essen? Was musst du dir merken?«

»Immer viel frisches Obst und Gemüse. Von den Fred-Feuerstein-Vitaminen eine pro Tag. Und wenn ich aufs Klo muss, hinterher Hände waschen.«

»Und nicht die Nerven verlieren, wenn etwas Schlimmes passiert; auch nicht so tun, als ob es gar nichts Schlimmes ist. Sag mir, was du tun sollst, wenn etwas Schlimmes passiert.«

»Nicht die Nerven verlieren. Einfach meine Sachen zusammenpacken und weggehen.«

»Der alte Schlafsack ist bis minus zehn Grad zertifiziert, das sollte für den ganzen September reichen. Aber wenn du im Oktober noch hier in der Gegend bist, brauchst du noch eine Decke. Es wird kalt hier draußen. Vor allem morgens.«

Sie saßen in ihren Autos und ließen den Motor laufen. Irgendwann kam eine Fehlzündung. Sal verstand nicht viel von Autos, aber sie wusste, was ihr gefiel.

»Ich komm schon zurecht«, sagte Sal. »Macht euch keine Sorgen. Ist ja nicht das erste Mal für mich.«

Das war der Punkt, an dem sie zu heulen anfingen. Das war wichtig für sie: ausgiebig heulen, damit Salome wusste, wie sehr sie sie mochten. Danach konnten sie mit dem Heulen wieder aufhören und zu ihrem normalen Leben zurückkehren.

Ist doch halb so schlimm, hätte Sal ihnen dann gerne gesagt. Das geht schneller vorüber, als ihr denkt.

»Du wirst uns fehlen, Mäuschen«, sagten sie, schnäuzten sich mit ihren roten Nasen in durchnässte Kleenexknäuel und lösten mit einem unwillkürlichen kleinen Klacken die Handbremse. Sie blickten nicht mehr zurück, wenn sie davonfuhren, aber manchmal winkten sie ihr über die Schulter noch einmal zum Abschied zu, kurz und knapp, als dankten sie einem anderen Autofahrer dafür, dass er sie in den dichten Verkehr einscheren ließ.

»Ihr werdet mir auch fehlen«, sagte Sal leise und winkte höflich zurück. »Und jetzt haut ab, bevor ich mir's noch anders überlege.«

★★★

Sie schlief in Maisfeldern, in den Röhren von Entwässerungsgräben, ein- oder zweimal sogar in halb verfallenen Militärbunkern. Es war unglaublich, dachte sie, wie viele vergessene Bauten und Einrichtungen es an Orten gab, an denen die Zivilisation nichts bedeutete. Zerbröckelnde Betonflächen, von Erdstößen verdrehte Bahntrassen, müllübersäte Wüsten, Flugfelder, durch deren Asphalt das Gras wuchs – als hätten Wetter und Vernachlässigung über Jahrhunderte die Spuren eines schrecklichen Krieges verwischt.

Einmal schlief sie auf dem Schlagplatz eines überwucherten Baseballfelds. Das war, als wäre man in eine vergessene Filmkulisse geraten; die zerbrochenen Latten der hohen Zäune rundum ragten auf wie die Masten eines gigantischen Gespensterschiffs, Kühe und Schafe weideten auf dem Spielfeld wie kleine Teile der Landschaft. Als sie ihre Decke die vom Unkraut zersprengten Betonstufen hinuntertrug, scheuchte sie eine Tierfamilie auf – Wiesel, vermutete sie. Wie auf Kommando, synchron wie ein Schwarm bepelzter Fische, flitzten sie mit glatter, schlangenartiger Bewegung über die splittrigen Bretter davon und waren verschwunden. Sogar ein pickliger, pergamentgelber Schlagball lag da in einer grünlichen Pfütze. »Berry Burlington« stand in roter Kugelschreiberschrift, dünn wie Spuren von Hühnerkrallen, darauf, mit großen, geschlungenen Schnörkeln beim *B* und beim *r*.

Der Vollmond beleuchtete den Sportplatz wie freundliches Flutlicht, und Sal versuchte sich vorzustellen, was die Leute wohl an so einem Ort getan hatten. Vielleicht hatten sie gelacht. Oder waren kreischend von einer zerfurchten, vom Wasser aufgequollenen Base zur nächsten gerannt. Oder sie hatten ihre hölzernen Schläger geschwungen und Bälle mit lautem Knall weit in die Wüste hinausgeschlagen oder mit zackigen Armbewegungen hoch in das summende Mondlicht geschleudert. Man musste sich Zeit lassen, um sich in einer so weiten, dunklen Welt zurechtzufinden. Sie wusste so viel mehr als man selbst.

Bevor sie an dem Abend schlafen ging, wusch sie sich das Gesicht mit zwei Spritzern Evian aus der Flasche und zeigte den Baseball, den sie gefunden hatte, derjenigen unter den schwarzweißen Kühen, die am friedlichsten und zufriedensten vor sich hin kaute. Sie schliefen nicht, diese Kühe. Vielleicht weil Vollmond war. Oder vielleicht war das einfach bei Tieren, die auf einem Baseballfeld wohnten, so.

»Dieser Baseball hat einmal einem kleinen Jungen gehört, der große *Bs* in seinem Namen hatte«, erzählte sie der Kuh sanft, ohne jeden Vorwurf. »Aber jetzt sind der kleine Junge und alle, die mit ihm gespielt haben, nicht mehr da.«

★★★

Manche Leute, wie Herb und Molly, lebten in nagelneuen Häusern mit nagelneuen Teppichböden und Vorhängen, wo Papierstaub und körniges Verpackungsmaterial alles elektrostatisch geladen aussehen ließ, wie Fernsehen über Antenne. Die Gärten draußen hatten keine Zäune, sie gingen einer in den anderen über, und wenn man darin umherstreifte, sah man bei anderen Häusern zum Wohnzimmerfenster hinein, als wäre man von Spiegeln umgeben. Es war egal, in welchem Haus man war, denn sie sahen alle gleich aus; sie wandten sich der Welt nur aus verschiedenen Winkeln zu. Weiße Holzwände, große Blumenkübel, Veranden aus grauem Beton, Grillplätze aus rotem Klinker, dünne Tannenbaumsetzlinge, die mit grüner Schnur an Holzstäbe gebunden waren. Sie sahen so neu aus, wie Sal sich fühlte. Das waren nicht einfach nur Dinge; sie kamen ihr eher wie Konkurrenten vor.

»Wenn wir die Polizei holen«, sagte Herb, »dann bringen die sie zur Fürsorge. Und über die Fürsorge, also da habe ich Sachen gehört. Da könnten wir sie genauso gut an einen Zirkus verkaufen oder bei Wasser und Brot auf dem Dachboden einsperren.«

Kaum hatte Molly sie auf einen geeigneten Stuhl an den übergroßen, auf Hochglanz polierten Esstisch gesetzt, machte sie sich daran zu tun, was Frauen wie sie oft taten. Sie putzte Sal das Gesicht mit einem warmen feuchten Waschlappen ab, kämmte ihr das Haar mit einem glitzernden, goldverzierten Kamm von ihrer Frisierkommode und setzte ihr mehr Essen vor, als Sal je verzehren konnte, hübsch angerichtet auf weißen Porzellantellern mit Blumenmuster. Käse und rohes Gemüse und undefinierbare Fleischprodukte. Geschnittene Äpfel und Bananen und Wassermelonen und Birnen. Weißbrot ohne Kruste, mit Erdnussbutter bestrichen, und hübsche Plastikschälchen mit Hummus, Krautsalat, Kartoffelsalat und Thunfischcreme.

»Dieses Rezept habe ich zum ersten Mal ausprobiert«, sagte Molly zu Sal und stellte eine Schale Suppe vor sie hin oder einen Teller Nudeln mit sonnengetrockneten Tomaten und Petersilie. »Das ist das erste Mal, dass ich etwas auf diesem neuen Geschirr serviere. Der Vetter meiner Mutter hat es uns nach der Hochzeit geschickt, wahrscheinlich weil seine Frau gestorben war und er nichts mehr behalten wollte, was ihn an sie erinnerte. Aber mir macht das nichts aus. Ein vollständiges, hundert Jahre altes Service mit Chinamuster, das wächst ja nicht auf Bäumen.«

Nach dem Essen führten sie sie durch das neue Haus, das gerade erst Gestalt annahm, stolz wie Grundstücksmakler. Die Schlafzimmer mit ihren großen neuen Betten und den kahlen, frisch gestrichenen Wänden. Die protzigen Badezimmer mit dem schimmernden weißen Porzellan und den weißen Würfelpiquétüchern mit Monogramm. Oder das Kinderzimmer, bewohnt von nichts als einem Versprechen – stets der am schönsten hergerichtete Raum eines Hauses: das große hölzerne Kinderbett mit Stäben wie ein altmodisches Gefängnis; die Mobiles, die sich in fremdartigen Formen und geometrischen Figuren träge über der leeren Matratze drehten. Was man als Ausstattung in solchen Kinderzimmern fand, war stets geschlechtsneutral und immer unpassend: glücklich grinsende Pandas oder linkisch langhalsige Giraffen. Irgendwas hatten Giraffen und Pandas, was solche Leute einfach unwiderstehlich fanden. Wahrscheinlich weil sie die Art von Leuten waren, die nur Tiere mochten, die nie erwachsen wurden.

Sals Lieblingsplatz war allerdings immer der Keller. Sie probierte Türen durch, bis jemand sagte: »*Da* brauchst du nicht runterzugehen, Liebes. Da unten ist nur alter Krempel.«

Der beste Teil am Leben war der, bei dem keiner zusah.

Und der beste Ort für diese Art Leben war stets der Keller im Haus anderer Leute.

★★★

Beim Frühstück sagten sie immer dasselbe.

»Wir können sie nicht behalten.«

»Ich weiß, dass wir sie nicht behalten können. Ich meine ja nur.«

»Wir wissen nicht mal, wie alt sie ist. Womöglich sollte sie schon in der Schule sein. Und was, wenn sie irgendeine Krankheit hat? Ein schwaches Herz oder Diabetes. Was, wenn sie fällt und sich den Hals bricht? Wir kennen nicht mal einen guten Kinderarzt.«

»Ich habe nie gesagt, dass wir sie behalten sollen. Ich meine ja nur.«

»Du machst dich immer für unmögliche Projekte stark, Schatz. Das mag ich ja gerade so an dir. Aber langfristig bringst du dich damit in Schwierigkeiten.«

»Ich meinte doch nur, dass wir sie für ein paar Tage hierlassen und mal abwarten können, was passiert. Genau das habe ich gesagt. Ich habe nie davon gesprochen, dass wir sie behalten sollen.«

Während die beiden redeten, bestrich Sal sich ihren Toast mit Marmelade. Am liebsten mochte sie Traubengelee, aber anscheinend hatte heutzutage kaum noch jemand Traubengelee. Alle hatten nur noch diese dicken klotzigen Gläser mit geronnener Grapefruit, die wie Plastikfolie roch.

»Stell dir vor, es stellt sich heraus, dass sie nicht ganz richtig im Kopf ist. Autistisch oder so was. Ich habe genug Zeit meines Lebens mit meiner Schwester zugebracht, Schatz, und du weißt, wie dieser ganze Ärger mit Ellie mir geschadet hat. Ich weiß nicht, ob ich so eine Belastung noch einmal aushalten könnte.«

Manchmal saß die Frau einfach nur da und sah Sal beim Essen zu, eine halb volle Kaffeetasse in den Händen, an der sie sich wärmte, und dachte an das Mobile, das sich oben in dem ungenutzten Kinderzimmer langsam drehte. Die Frauen hatten immer schöne Hände, dachte Sal. Sogar die, die im Gesicht nicht so besonders aussahen.

»Ich glaube nicht, dass unserer kleinen Ausreißerin etwas fehlt«, sagte die Frau. »Schau dir doch nur an, wie sie isst. Sie ist so gefasst und aufmerksam. Als ob sie genau wüsste, was gespielt wird, aber sich einfach nicht drum kümmert. Als ob sie die wahren Mühen des Lebens lieber den anderen überlässt.«

Das waren die Augenblicke, in denen der Mann richtig loslegte; in denen er den Dampf abließ, der sich den ganzen Morgen über aufgebaut hatte.

»Manchmal stellt sich erst nach Jahren heraus, ob ein Kind autistisch ist oder nicht. Das sieht man ihnen nicht an, Schatz. Alles geht ganz normal, und eines Tages kommst du dazu, wie sie sich mit dem Steakmesser ins Handgelenk schneiden oder mit einem Rechen nach der Katze schlagen. Meistens fügen sie den Schaden eher sich selbst als anderen zu, aber man muss trotzdem vorsichtig sein. Ellie war ein paar Mal vollkommen daneben, und was sie im Bad angestellt hat, das werde ich nie vergessen. So etwas wollen wir mit deiner ›Ausreißerin‹, wie du sie nennst, nicht noch einmal erleben. Wo sie nicht mal mit uns verwandt ist.«

***

Am besten, man ging mitten in der Nacht, wenn alle schliefen; dann ersparte man sich die klebrigen Umarmungen, mit denen sie einem so unvermittelt wie ein Fremder, der in einer Gasse auftauchte, um den Hals fielen. Als wollten sie einen mit ihrer Unaufrichtigkeit beeindrucken oder in Worte verstricken. Ach mein Liebling meine süße kleine Ausreißerin bitte pass auf dich auf ach was werden wir dich vermissen und so weiter. Obwohl Sal wusste und sie wussten, dass sie nur wollten, dass sie rasch ging, bevor sie sich nicht mehr wünschten, dass sie blieb, war es so viel rührender für sie, und wenn sie weg war, war es viel schöner in ihrem Haus als vor ihrer Ankunft.

Ihre Bettwäsche steckte schon in der Waschmaschine, die Teller von ihrem »Abschiedsfrühstück« wurden bereits in der Edelstahl-Spülmaschine von ihren Spuren befreit. Ihr Lunchpaket war gepackt, und sie hatten ihr irgendwas Nutzloses mit auf den Weg gegeben, genau das eine Objekt im Haus, das Sal nicht haben wollte und bei dem sie es gar nicht abwarten konnte, es nicht mehr zu sehen.

»Dieser Wichtel war mein bester, liebster Freund, als ich ein kleines Mädchen war, und jetzt sollst du ihn haben und auf ihn aufpassen; und er wird dich allzeit beschützen, und ich werde wissen, dass du immer in Sicherheit bist.«

Sie zeigten einem nicht nur ihre Tränen – sie beschmierten einen damit, wischten sich ihre Rotzgesichter an dem schönen rosa Kleid ab, durchtränkten einen mit dem salzigen Zeug, als könnten sie einen in sich aufsaugen, genau an dem Ort, an dem sie es gar nicht abwarten konnten, dass man endlich verschwand.

»– und ich *weiß*, dass du gut auf ihn aufpassen wirst, mein Schmusekätzchen, meine Erdnussflipsnascherin. Denn du bist die Art von kleinem Mädchen, die auf andere achtgibt, nicht wahr, mein Liebling? Du bist keins von den selbstsüchtigen Mädchen, die immer nur wollen, dass andere sich um *sie* kümmern –«

Es war die beste Zeit, um in so einem Viertel unterwegs zu sein: keine Fremden auf den Straßen, die sie mitnehmen wollten, nichts außer ein paar vergessenen Spielzeugen auf dem Rasen, die Sal an das Leben erinnerten, das sie durch Schlafzimmer- und Kellerfenster gesehen hatte. Die Straßenlampen verbreiteten die ganze Nacht hindurch ihr trübes Licht, beleuchteten Dinge, auch wenn gar keiner da war, sie zu sehen. Es war wie Bewusstsein, das mit sich allein war; das Hintergrundrauschen empfindungsbegabter, elementarer Materie. Sich dessen bewusst, dass sie sich ihres Bewusstseins nicht bewusst war. Im Mondlicht warfen die Bäume ihre Blätterschatten. Spuren von Ölflecken auf den weißen Einfahrten warteten nur darauf, noch mehr Dunkel zu verschlucken. Ich weiß nicht viel, dachte Sal, wenn sie mitten in der Nacht über diese schwach erleuchteten Straßen zog und spürte, dass es andere Räume, andere Dimensionen dort draußen gab – Umrisse, die einen Berg erahnen ließen, der Salzgeruch vom Meer –, aber ich weiß, was ich weiß. Und das ist genug.

★★★

Es war nicht Leben, was blieb und sich über die Dinge ausbreitete – es war Nicht-Leben, das große Welt-Ding, das Tote, das Zeug, die rohe, harte, anorganische Oberfläche der Materie. Häuser vor allem. Sie erstreckten sich in alle Richtungen, dünn, unbeständig, hohl, kaum voneinander und von den Dingen in ihrem Inneren zu unterscheiden. Sie breiteten sich über das Land aus wie Plastikchips, die von einem Fließband fallen; sie füllten Schluchten und Täler und sammelten sich wie Tautropfen in Siedlungen und den Gewerbegebieten der Vorstädte. Sie stauten Flüsse auf, bezwangen Hänge und Bäume und Felsen und alles, was sich ihnen in den Weg stellte. Und wenn sie etwas nicht zerstören konnten, setzten sie sich obendrauf und blickten heiter von ihren Stelzen auf buschbestandene Bergflanken herab, schwammen träge zwischen den schwappenden Wellen trüber Buchten und Fjorde, ihre Rümpfe moos- und muschelbewachsen wie uralte Männer. Egal wohin Sal kam, diese Häuser waren immer die Ersten, die sie kommen, und die Letzten, die sie gehen sahen. Sie waren die Einzigen, die sich nie verabschiedeten.

»Das Leben hatte nie eine Chance«, sagte der alte Mann, der den »Waschsalon Biberfreund« in einer

Stadt mitten in der Wüste betrieb, die hieß wie alle anderen Städte – Desert Acres oder Littleton oder Bobville. Sal glaubte längst nicht mehr an Namen. »Ich habe gesehen, wie das alles entstand, und bin schreiend davongelaufen. Häuser, Lastwagen, Flugzeuge, Flotten von Bussen und Militärfahrzeugen, Computer und Satellitenfernsehen. Das ganze Gerede, dass der Mut des Lebens sich am Ende immer durchsetzt, das ist Quatsch. Leben ist ein hübsches Versehen, das passiert ist, als die Welt mal nicht aufgepasst hat. Jetzt muss es sich verstecken, in Sicherheit bringen, in Höhlen leben, damit es dem Nicht-Leben nicht in die Quere kommt. So funktioniert die Welt in Wirklichkeit, mein Schatz. Sie reißt die Dinge auseinander und setzt sie wieder zusammen, und das mag ganz in Ordnung sein, solange man ein Stück Holz ist, aber für ein kleines Mädchen, das gern wachsen und ein großes Mädchen werden möchte, ist das nicht schön. Nicht mal für einen alten Mann wie mich, der nur noch all die Leute vergessen möchte, die er zurückgelassen hat.«

Sal mochte Waschsalons; es war eine Zuneigung, die sie in ihrem ersten Winter entwickelt hatte, als ihr kalt war und sie immer weniger Lust auf anderer Leute Häuser hatte. In einem Waschsalon konnte sie stundenlang sitzen und zusehen, wie die Trommeln der Trockner sich drehten, oder in den klebrigen, zerfledderten Seiten von Zeitschriften blättern, die auf den Fensterbrettern wuchsen wie Lava, die aus Rissen im Wüstenboden hervorquoll. In den meisten dieser Illustrierten gab es Hochglanzbilder von jungen Damen, die genau so aussahen, wie Sal sich fühlte. Distanziert, ein wenig verdrießlich, schimmernd vor Stoff und Haarlack, standen sie in unnatürlichen Posen da, hielten den Kopf in merkwürdigen Winkeln, als hielten sie Ausschau nach einer Welt jenseits von jener, von der sie betrachtet wurden. Sie trugen Nachthemden und Nerzmäntel und hochhackige Schuhe mit schwarzen Schnürriemen und rauchten Zigaretten aus langen, dünnen Elfenbeinspitzen. Sie streichelten die Motorhauben schnurrender schwarzer Automobile, sie sprangen im goldenen Badeanzug in blaues Poolwasser, sie ließen am Strand Drachen steigen, perfekt gekleidet in modische Feinstrickware. Manchmal waren diese Mädchen in der Gesellschaft von ausgesprochen feminin wirkenden Männern mit kantigen Wangenknochen, die schicke Lederjacken und Schlaghosen anhatten. Diese Männer waren oft ansehnlicher als die Frauen. Sie trugen einfacheren, geschmackvolleren Schmuck.

»Dieser Zeitschriftenstapel ist wie eine archäologische Grabungsstätte, der reicht bis in graue Vorzeit und noch weiter zurück. Da sind Artikel aus einer Zeit dabei, in der sogar ich noch gut aussah.« Der alte Mann war immer beschäftigt, er kehrte, wischte den Boden, putzte Oberflächen mit einem alten ziegelroten Baumwolltuch, oder er schob quietschende Wäschekarren vom einen Ende des neonhellen Raums zum anderen, während im Trockner irgendwelche Turnschuhe polterten wie lärmende Nachbarn. »Ich rühre die gar nicht mehr an; wer weiß, was ich da heraufbeschwöre. Berühmtheiten oder Politiker, die längst tot sind – da stecken Energien drin, von denen man lieber die Finger lässt. Unzählige Rezepte für Eintöpfe, Fondue, Kalbfleischgerichte. Aus solchen Sachen kommt das Nicht-Leben hervor, kleines Mädchen; aus den tiefsten Schichten der alten Zeitschriften und Zeitungen. Wenn du da tief genug gräbst, verlierst du dich dermaßen, dass du an dich selbst überhaupt nicht mehr denkst. Und ich persönlich, kleines Mädchen, ich finde, das wäre gar keine so schlechte Idee. Wenn ich nicht so viel hier zu wischen hätte, würden wir zwei uns das zusammen ansehen. Ich würde mich so tief da drin verlieren, wie ich nur könnte.«

★★★

Der alte Mann schlief auf einem Feldbett in einem Abstellraum hinter den Trocknern, wo an den unverputzten Wänden vergilbte Kalender und zerfledderte Prospekte für Reisen nach Mauritius hingen. »Das ist die beste Arbeit, die es gibt«, sagte er gern. »Ich habe Gesellschaft, und trotzdem spreche ich mit den Leuten kaum ein Wort. Und wenn sie mich mal was fragen, dann habe ich immer die Antwort parat, wie so ein Tausendsassa beim Wohltätigkeitsquiz im Fernsehen. So was wie: ›Gibt's hier einen Automaten zum Geldwechseln?‹ Oder: ›Ich kann kein Geld wechseln, die Maschine zum Geldwechseln ist kaputt.‹ Und ich zeige auf das Schild, auf dem steht ›Betrieb nur mit eigenem Münzgeld‹, und wenn sie mir wirklich auf die Nerven gehen, dann zeige ich auf das andere, das lustige, das, auf dem steht: ›Auf Aufforderung macht ihr die Fliege.‹ Oder sie fragen, wie viel Waschmittel sie nehmen sollen, und ich sage, das weiß ich nicht, ich bin doch kein Waschmittelberater, oder wie viel Weichspüler, und ich sage, seh' ich vielleicht aus, als ob ich was über Weichspüler weiß? Oder – ich glaube, das ist meine Lieblingsfrage – ›Gibt's einen Burger King hier in der Nähe?‹ Und dann stütze ich mich auf meinen Mop und sage: Klar gibt's den hier, Mann. Sie finden weit und breit keinen Waschsalon, wo's keinen Burger King in der Nähe gibt. Die sind doch nur für Leute gemacht, die darauf warten, dass ihre Wäsche trocken wird. Man müsste ja bescheuert sein, wenn man sonst da hinginge.«

Ein Waschsalon hatte keine definierbare Substanz, keine eigenständige Persönlichkeit, und da er in keinem spezifischen Sinne existierte, sah Sal nie die Notwendigkeit, irgendwo anders hinzugehen. Abends aßen sie und der alte Mann Käsekräckersandwiches, gesalzene Erdnüsse oder Chips mit Cheddargeschmack aus dem Automaten, den der alte Mann mit einem Schlüssel an seinem Schlüsselbund aufschloss. Zum Nachtisch gab es Schokoriegel, einzeln verpackte Miniküchlein und Lutschbonbons. »Entscheidend ist, dass du Mengen von diesem Mineralwasser hier trinkst, vor und auch nach dem Essen«, schärfte der alte Mann ihr ein. Er prostete ihr mit einer geriffelten blauen Plastikflasche zu. »So ist's brav, runter damit. Wasser spült den ganzen Dreck raus, der sich im Laufe des Tages im Körper aufbaut. Und das heißt, du kannst den restlichen Tag damit verbringen, den Dreck anzusammeln. Das ist jedenfalls mein persönliches Rezept für einen gesunden Körper. Du kannst den lieben langen Tag essen, was du willst. Aber bevor du zu Bett gehst, musst du für den richtigen Ausgleich sorgen.«

Der alte Mann machte Sal nie Vorschriften, was sie tun oder was sie denken sollte, und deshalb kam es ihr gar nicht vor, als ob sie mit jemandem zusammenwohnte; sie musste sich nicht hinter der Vorstellung eines anderen davon, wer sie war, verstecken. Wenn es hochkam, setzte er sich neben sie auf einen der rissigen orangefarbenen Plastikstühle und zeigte ihr die Schlüssel an seinem Bund, einen nach dem anderen, was für Sals Begriffe eine Erfahrung von geradezu mystischer Intensität war. »Geldbehälter bei den Trocknern«, sagte er dann und hielt einen Schlüssel hoch. »Geldbehälter bei den Waschmaschinen«, sagte er und zeigte ihr einen zweiten. »Süßigkeitenautomat, den kennst du ja. Ladentür. Hintertür. Abstellraum. Weiß nicht mehr, wofür der hier ist. Bei dem auch nicht. Dieser hier ist für die Geldkassette, der für das Postfach bei UPS. Bei dem bin ich mir nicht sicher – früher dachte ich, ich wüsste, wozu er da ist, aber jetzt weiß ich es nicht mehr. Der hier war, glaube ich, der Zündschlüssel zu einem Auto, das ich mal hatte. Marke weiß ich auch nicht mehr, aber ein Riesending. So ein richtiger Spritfresser.«

⋆⋆⋆

Das Beste war, dass der alte Mann Sal niemals Fragen stellte, und hauptsächlich deswegen blieb sie. Mit keinem Wort stellte er Bedingungen, niemals erhob er Anspruch auf Wahrheit, nie äußerte er eine Meinung.

»Du könntest hier auf diesen Stühlen schlafen, wenn du willst. Aus den alten Bettlaken und den Handtüchern hier könnten wir ein Lager für dich machen. Du kannst dir gar nicht vorstellen, was die Leute alles hierlassen, ganze Maschinen und Trockner voll mit Bettzeug, Kleidern, Jeans, alles Mögliche. Schau mal, hier ist ein rosa Kleid, fast wie das, das du anhast. Nur dass dieses hier sauber ist und frisch gewaschen riecht. Ich halte die Sachen in Ordnung, kleines Mädchen. Man weiß doch nie, wann mal was gelegen kommt oder was man am nächsten Regentag braucht.«

Die Polsterbänke entlang der einen Wand ließen sich mit einem der Schlüssel des alten Mannes aufschließen, und in den hölzernen Staufächern lagen fein sortiert alle erdenklichen Sachen: Taschenbücher mit eingerissenen, abgegriffenen Umschlägen; ein Schuhkarton voll mit Murmeln; ein Weidenkorb mit Puppen und Tieren aus Stoff; und ein staubiges

Glasgefäß voller ausländischer Münzen, Unterlegscheiben und Plastikschmuck, wie das Terrarium einer mechanischen Echse.

»Was du hiervon gebrauchen kannst, gehört dir«, sagte der alte Mann und wuchtete eine alte Matratze auf die Reihe orangefarbener Plastikstühle. »Du kannst nicht bei mir schlafen, weil ich schnarche, und das wäre für uns beide nicht gut. Für dich nicht, weil du ein unveräußerliches Recht auf gesunden Schlaf hast. Und für mich nicht, weil ich ein ebenso unveräußerliches Recht darauf habe, so viel Krach zu machen, wie ich will. Schau dir diese Puppen und das Spielzeug und den ganzen Krempel und die alten Platten hier an. Such dir was aus. Aber leg bitte alles wieder dahin zurück, von wo du es nimmst. Wenn du deine Sachen nicht in Ordnung hältst, dann übernehmen sie die Kontrolle über dein Leben. Und wenn Sachen die Kontrolle übernehmen, dann kannst du getrost deine Chips einlösen. Die fegen dich noch von hinter den Trocknern da weg, mein Schatz. Die stecken dich in die Mülltonne, zusammen mit den ganzen alten Zeitschriften.«

Es war nicht schwer, dachte Sal, zu wissen, was man wollte. Und noch einfacher war es zu wissen, was man wollte, wenn man mit einem alten Mann wie diesem in einem Waschsalon saß.

Sie zeigte darauf.

»Und das ist wirklich alles, kleines Mädchen? Wie wäre es denn mit den Brettspielen hier? Oder den Puzzles. Ich habe da mal ein Sesamstraßenpuzzle reingetan. Weiß nur nicht mehr, wo.«

Für einen alten Mann, der wenig redete, redete er manchmal ganz schön viel, dachte Sal. Sie zeigte noch einmal darauf.

Er hatte gerade ihr Bett fertig. Weiße Laken, Baumwolldecken – dick mit Saum und Rüschen. Er wandte sich wieder Sal zu und zuckte mit den schmalen, kantigen Schultern.

»Natürlich kannst du das haben, kleines Mädchen. Und wenn ich das nächste Mal ein rosa Kleid finde, das auch nur annähernd deine Größe hat – na, das gehört jetzt schon dir.«

⋆⋆⋆

Nachts ließ das Schnarchen des alten Mannes die Blechgehäuse der Maschinen dröhnen wie von unterirdischen Kräften, von Erdbeben oder Vulkanen. Es ließ die Fensterscheiben in ihren Rahmen scheppern und die Deckel der Polsterbänke poltern. Wenn sie nachts zwischen den Glaswänden des Waschsalons ausgestreckt auf ihrem improvisierten Bett lag, fühlte Sal sich als Teil der Welt, aber sie ging nicht darin auf. Die abgestorbenen Bäume, der Mond, die hageren Hunde, die draußen schnüffelten, die Katzen, die sich jagten – das alles war weit weg wie die Räder und Hebel einer gigantischen Uhr, einer von denen, die man aufzieht, bis der Schlüssel sich nicht mehr weiter drehen lässt.

Am Morgen faltete Sal die Laken und verstaute sie

zusammen mit den Matratzenteilen in den Kisten, in die sie gehörten. Dann zog sie ihr sauberes rosa Kleid an, steckte das schmutzige rosa Kleid, das sie ausgezogen hatte, in die Trommel der großen Waschmaschine, verriegelte die Tür und setzte die Maschine mit einem Schlüssel von dem Reservebund, den der alte Mann ihr von einem rostigen Haken im Abstellraum geholt hatte, in Gang. Sie stellte sie auf »Feinwäsche – empfindliches Gewebe«, fügte eine winzige Menge Waschmittel und Weichspüler bei, und dann saß sie vor dem riesigen Zyklopenauge der Maschine, sah geduldig sämtlichen Waschgängen zu, ganz so, wie ängstliche Eltern beim Karussellfahren auf dem Rummelplatz ihren Kindern zusehen. Es zischte, schäumte, toste, dann kam der Schleudergang mit seinem gutmütigen Poltern und Klappern, noch stürmischer und heftiger als das Schnarchen des alten Mannes. Sie brachte das Kleid, zusammengelegt und von Fusseln befreit, zum Trockner, und bis der alte Mann aufwachte und in seinen weiten Sweathosen und dem Netzunterhemd wieder aus dem Abstellraum kam, saß sie schon auf genau der Stuhlreihe, auf der sie geschlafen hatte, ließ die Beine baumeln, hatte das eine saubere rosa Kleid an und das andere gefaltet im Schoß, befühlte den weißen Spitzenkragen oder suchte Chiffonmanschetten und Säume nach losen Fäden ab, die sie mit scharfen, knappen Bissen ihrer Schneidezähne abbiss. Morgen, dachte sie, ziehe ich dieses Kleid an und wasche das, das ich jetzt anhabe. Es war das wohligste, unbeschreiblichste Gefühl, das sie je gekannt hatte.

»Rosa steht dir, kein Zweifel«, sagte der alte Mann eines Morgens, während er blaue Flusen hinter den Trocknern hervorfegte. »Nicht weil es eine Mädchenfarbe ist, sondern weil es so was Properes, Sauberes hat, genau wie du. Andererseits – und nimm das bitte nicht als Kritik – würde ich wetten, dass es auch eine Menge anderer Farben gibt, die gut an dir aussehen. In der Schublade da drüben hätte ich zum Beispiel ein paar Jeans in deiner Größe. Oder dieses Baumwollkittelchen mit Pandas und Giraffen. Und in der Bank da hinten sind bestimmt auch noch T-Shirts mit Superhelden drauf – natürlich solche, die für Mädchen passen, keine Sorge. Super Lady zum Beispiel oder die Sexy Girls, diese Art von Heldinnen. Und vielleicht noch Schuhe, du solltest mal das Schuhsortiment durchsehen und dir ein Paar aussuchen, vielleicht Turnschuhe oder so was. Diese rosa Sonntagsschühchen, die sehen aus, als hätten sie schon den Weltkrieg mitgemacht und alle ihre Liebsten verloren. Die sind nicht praktisch. Und du hast etwas an dir, kleines Mädchen, das eindeutig praktische Schuhe braucht.«

Manchmal kam die Erkenntnis aus heiterem Himmel, gerade wenn man das Gefühl hatte, dass es nichts mehr zu lernen gab. Sal sah dem alten Mann zu, wie er die zusammengekehrten Flusen in große, weiße Plastikmüllsäcke schaufelte. Oberflächlich betrachtet schien er derselbe alte Mann wie immer. Er beachtete sie nicht groß, genau wie er es immer getan hatte.

Meine Schuhe, dachte sie. Schuhe, die nicht ich sind. Schuhe, die ich sind.

Plötzlich war der alte Mann nicht mehr jemand, der auf Sal gar nicht achtete. Aber Sal war jetzt jemand, der gelernt hatte, auf *ihn* zu achten.

★★★

Trotzdem waren Waschsalons genau das Richtige, und beim nächsten vergewisserte Sal sich, dass es eine echte Automatenwäscherei war, wo sie sich auf Dauer niederlassen konnte, zum ersten Mal seit sie Daddy verloren hatte. An so einem Ort nahm niemand ein kleines Mädchen im rosa Kleid wahr, denn hier kamen am laufenden Band Leute mit Kindern und Hunden, die zu ihnen gehören mochten oder auch nicht. Sal konnte sich einen eigenen Raum schaffen, indem sie sich einfach auf eine kunststoffgepolsterte Bank setzte oder auf einen rissigen orangefarbenen Plastikstuhl, die Arme verschränkte und sich ganz auf sich konzentrierte. Das war ihr Raum. Der gehörte niemandem sonst. Ob das den Leuten passte oder nicht.

Zum ersten Mal in ihrem Leben musste Sal nicht nach Leuten suchen und sie wieder zurücklassen, wenn sie zudringlich wurden. Statt dessen kamen immer wieder Leute zu ihr und gingen vorüber, als ob sie gar nicht da sei, sie schleppten schwere Kissenbezüge, vollgestopft mit schmutziger Bettwäsche, wie schäbige Weihnachtsmänner, oder trugen große Weidenkörbe, die überquollen vor Baumwollstoffen, schwappten mit bunten Gefäßen voll Waschmittel und Weichspüler umher. Sie plapperten in ihre Telefone, erzählten irgendwas Persönliches oder wo sie die Mayonnaise hingestellt hatten oder dass sie den nächsten Bus nehmen würden, oder waren in das Kreuzworträtsel von *USA Today* vertieft oder aßen abgepackte Mahlzeiten aus Fastfoodrestaurants, die sie wie einen Autoatlas auf ihrem Schoß ausgebreitet hatten. Ihre namenlosen Kinder – wild, unerzogen, überflüssig, zu nichts auf der Welt zu gebrauchen – schlugen währenddessen ständig auf irgendwelche Sachen ein, um Aufmerksamkeit zu bekommen, oder beschmierten sich das Gesicht mit blauroten saftartigen Substanzen. Sie versteckten sich unter Stühlen und Bänken und belauerten einander, wie ein Wolf eine Maus belauert. Doch keines von ihnen hatte die Intensität eines Wolfes oder hätte gewusst, was es mit einer Maus machen sollte, wenn es eine fangen würde.

Manchmal schlichen sie in einem gewissen Abstand um Sal herum oder gingen hin und her, musterten sie mit langen, ausdruckslosen Gesichtern, ihre Augen leer wie Windschutzscheiben. Nach einer Weile setzte sich dann das Kleinste und Wildeste auf einen Stuhl nicht weit von ihr und bot ihr eine Art Weihegabe an. Eine Zündplättchenpistole, eine kopflose Plastikpuppe, einen Kronkorken klebrig vom Handschweiß, ein Insekt in einem Marmeladenglas. Etwas Belangloses; große Mühe gaben sie sich nicht.

»Nein, danke«, sagte Sal dann, ohne aufzublicken. Sie wollte sie nicht ermutigen. Sie wurden wahrscheinlich sowieso schon viel zu viel ermutigt. »Nicht mal für Geld könnte ich damit was anfangen.«

Dann hob sie das rosa Kleid, das sie zusammengelegt im Schoß hatte, in die Höhe und zeigte es ihnen.

»Ich habe alles, was ich brauche, hier bei mir.«

★★★

In einem Waschsalon gab es jede Menge Plätze, wo man schlafen konnte, aber am liebsten hatte Sal die großen Bänke, in deren dunklen, rohen Staukästen zerkrumpelte graue Leinensäcke lagen, krumme, undefinierbare Metallstücke und vertrocknete Mauseköttel. Das war, als ob man sich in seinem eigenen Körper versteckte oder sich von der Welt löste, als ob man ganz und gar aus ihr heraustrat. Manchmal schlief Sal auf einem alten Reifen oder einer rostfleckigen Tüte mit Eisennägeln ein und träumte von Daddy, wie er in seinem weißen VW-Bus über die Landstraße holperte und mit starker, fester, unerschütterlicher Stimme sagte: »Ich werde dich genauso liebhaben. Ich werde mich genauso anstrengen. Was immer du haben willst. Es gehört schon dir.« Das war mehr, als diese Wolfskinder sich je erhoffen konnten, mit ihren schmuddeligen Holzklötzchen, den rautenförmigen Bleistiftspitzern, den abgegriffenen Tüten mit Fruchtbonbons. Hinausgelassen in eine Welt ohne Traurigkeit, davongetragen von jemandem, der so stark war, dass er sie behalten konnte, einfach weil er sie gefunden hatte. Jemandem, der sie mehr liebte, als sie je von jemandem geliebt worden war.

⋆⋆⋆

Aber bis Daddy sie wiederfand, musste Sal mit ihrem Geheimfach unter der Polsterbank zufrieden sein, wo sie jede Nacht wach lag, ihren eigenen muffigen Geruch einatmete und wartete, dass der Unglückliche kam.

Sein Wagen hielt immer mit einem lauten Knall vor der Eingangstür, wie ein Pistolenschuss im Fernsehen. Anfangs war der Unglückliche nichts weiter als eine Reihe von Atemlauten, er polterte gegen Sachen und schob sie beiseite. Seine Füße schlurften über den abgeschabten Linoleumboden, ein wütender, unbeherrschter Rhythmus, als sei ihm jeder Schritt in einer Welt zuwider, von der er nichts wissen wollte. »Dieses blöde Miststück mit seinen verfluchten Haaren«, sagte er und stieß die Türen auf, dass sie in ihren rostigen Scharnieren quietschten. »Den ganzen Tag liegt sie faul da und glotzt in die Röhre.« Seine Schlüssel klangen kräftiger, geballter als die des alten Mannes, und bei jedem Schloss, an das er kam, rasselte er damit – Trockner, Automaten, Lagerräume, versteckte Türen, metallene Vorratsbehälter.

»Die wird essen, was ich ihr vorsetze, ich bin verdammt noch mal kein Fünfsternekoch. Runter damit und basta«, verkündete er dem Waschsalon, der jedes Mal, wenn er kam, ein eigenes Wesen, eine Persönlichkeit entwickelte, wie eine Spinne, die aus ihrem Loch im Boden gekrochen kommt. »Und dann diese Blicke. Frisst einem die Haare vom Kopf. 'dammtes Miststück mit ihren Klatschzeitungen und ihren Keksen. *Einen* verfluchten Keks hätte sie ja wohl für mich übriglassen können, einen einzigen Scheißkeks, aber nein, das war zu viel verlangt.«

Wenn der Unglückliche sich der Bank näherte, in der sie versteckt lag, spürte Sal, wie sie kompakter, realer wurde. Keiner konnte sie finden. Keiner wusste, dass sie da war. Es gab nur sie, das Dunkel und die rumorende Masse, die polternde Wucht des Unglücklichen.

»Das nächste Mal sperre ich sie im Keller ein.« Silbermünzen prasselten in dumpfe Blecheimer. Kleine Metallklappen, die geöffnet und wieder geschlossen wurden. Dann wieder diese Schritte voller Wut auf sich selbst, die jeden Stein umdrehten außer den von Sal. »Dann kapiert sie das, und zwar gründlich. Dann lässt sie nicht mehr überall auf dem Teppich ihre Haare. Oder ich sperre sie im Keller ein und schmeiße den Schlüssel weg.«

★★★

Jeden Morgen wurde sie von dem gleichmäßigen Piepton der Müllwagen geweckt, die rückwärts in die Sackgassen setzten und mit roboterartigen Vorrichtungen Mülltonnen so groß wie Autos stemmten. Es war jene Schicksalhaftigkeit, die Sal mittlerweile von den Dingen des Alltags kannte, jenes endlose Gewebe aus Vorbestimmung, Gunst und Gnade, das sie vor der Zudringlichkeit und der Unbeständigkeit der Menschen beschützte, die sie im einen Augenblick retten wollten und im nächsten anderes zu tun hatten.

»Wahrscheinlich die Tochter des Managers«, flüsterten die Leute, wenn sie Maschinen und Münzbehälter mit der Schlüsselsammlung aufschloss, die sie sich in dem gruftigen, in alle Richtungen schiefen Vorratsraum zusammengesucht hatte, den der Unglückliche alle paar Abende offen ließ. »Jedenfalls kennt sie sich hier aus und weiß, wie man an Wechselgeld kommt. Und wie gepflegt sie immer aussieht; bestimmt putzt sie sich nach jeder Mahlzeit die Zähne. Wahrscheinlich ist der Laden deswegen so heruntergekommen. Die Besitzer sind ganz damit ausgelastet, sich um dieses schöne kleine Mädchen zu kümmern. Da bleibt keine Zeit für die Kundschaft. Sie sagen sich wohl, dass die Familie vorgeht, und da haben sie ganz recht.«

Manche Schlüssel waren krumm und nicht zu gebrauchen. Andere musste man nur unter dem Wasserhahn im Abstellraum waschen, dann schimmerten sie wie Gold.

»Kleines Mädchen. Darf ich dich etwas fragen?«

Sal sprach nur, wenn es sich nicht vermeiden ließ. Sie fand, Schweigen war die beste Art, Unbescholtenheit und Selbstkontrolle zu bewahren.

»Wann kommt dein Daddy zurück?«

Manchmal musste man eine Kleinigkeit preisgeben. Und sei es auch nur, um all das zu schützen, was man ihnen nicht erzählen wollte.

»Bestimmt bald.«

»Ich muss mit ihm reden. Kannst du mir sagen, wo ich ihn finde?«

»Normalerweise warte ich, bis er kommt. Ich suche ihn nicht. Er findet mich.«

»Aber lang kann er doch nicht weg sein, oder? Ich meine, er würde doch sein kleines Mädchen nicht einfach im Waschsalon sitzen lassen, oder?«

Sal zuckte mit den Schultern. Das war das Einzige, was man manchen Leuten sagen konnte. Sie packte ihren Power Bar aus der Aluminiumfolie aus. Power Bars waren wie Schokoriegel, nur gesünder. Das hatte ihr jemand vor langer Zeit einmal gesagt.

»Mein Fünfdollarschein steckt in der Maschine da. Vielleicht könnte dein Daddy sie mit einem von seinen Schlüsseln aufmachen und mir die fünf Dollar zurückgeben.«

Diese Frauen waren das Gegenteil der Frauen in den neuen Häusern. Sie waren dick und fett und schlecht angezogen, sie sahen aus wie die Kissenbezüge voller Wäsche, die sie aus ihren qualmenden, viel zu großen Autos mit zerbeulten Stoßstangen und schrundigen Kunstlederdächern zerrten. Sie rauchten ununterbrochen, zündeten immer die nächste Zigarette an der vorigen an, und die Stummel schnippten sie zur Tür hinaus in die regennasse Gosse und seufzten dazu, als sei ihnen gerade ein guter Freund gestorben. Sie aßen Kartoffelchips mit Riffelmuster und tranken aus Literflaschen Diätlimonade dazu. Nicht einmal tot hätte Sal den Abend mit so einer Frau verbringen wollen. Die würden ihr alles wegnehmen, was sie hatte, und sie bekäme nie etwas zurück.

Sal betrachtete das Etikett ihres Power Bar. Zahlen waren gut, wenn man welche bekommen konnte, aber Worte waren besser.

»Wenn ich meinen Daddy jederzeit rufen könnte, wenn ich wollte«, sagte Sal, ohne aufzublicken, »dann wäre ich doch nicht hier, oder? Dann wäre ich bei ihm, und wir wären längst anderswohin unterwegs.«

★★★

Nach Sals Schätzung musste der Unglückliche schon seit über hundert Jahren zu dem Waschsalon kommen, den Laden am Abend abschließen und am Morgen wieder aufschließen, und im Laufe dieser Zeit hatte er alles, was er an Wertvollem besaß, systematisch vergessen, verlegt oder liegengelassen. Eine goldene Uhr mit zerrissenem Lederarmband; irgendwelche Rechnungen mit Kränzen von Kaffeetassen und kristallisierten Popeln; drei identische

Fotografien von einer sehr alten Frau vor einem Redwoodbaum, die Arme theatralisch ausgebreitet, als präsentiere sie einen der albernen Preise in »Der Preis ist heiß«; ein Glasgefäß mit viereckigen Münzen mit Runen darauf; und unzählige zerknüllte weiße Zettel, die überall auf dem Boden des Abstellraums lagen wie künstlicher Schnee auf einer billigen Bühne. Wie konnte es sich jemand leisten, so viel von sich selbst zu verlieren, fragte sich Sal und drückte sich dabei ihr rosa Reservekleid an die Brust, wenn sie nachts allein in dem leeren Waschsalon stand und sich im langsamen Takt von Musik aus einer unsichtbaren Musikbox mehrere Straßen weit fort wiegte. Fühlte man sich denn da nicht leer? Würde man nicht in sich zusammensacken, das Gesicht verschrumpelt wie eine Kürbislaterne drei Tage nach Halloween? Nachts schauten die Trockner gutmütig auf einen herab, blitzende Chromreihen wie Computerkonsolen auf einem interstellaren Raumschiff, das zu keinem organischen Leben mehr Kontakt hatte außer zu Sal.

»In diesem ganzen verfluchten Land gibt es nichts mehr, was es wert ist, dass man seine Jugend damit vergeudet«, sagte Tim, ein junger Mann, der in der Morgenschicht beim Store 24 arbeitete. »Und das liegt daran, dass die vorige Generation alles, was nicht niet- und nagelfest war, in ihre Rentnerparadiese in Süd-Carolina mitgenommen hat, wo sie das ganze Jahr Golf und Shuffleboard spielen, während wir Hot Dogs und Big Gulps an Straßenarbeiter und Drogenabhängige verkaufen. Schau dich nur um, kleines Mädchen, und was siehst du? Eingegangene Einkaufszentren, Tattooläden, Striplokale auf der einen Seite des Zauns – und auf der anderen? Sündhaft teure Eigentumswohnungen, Swimmingpools mit gechlortem Wasser. Und wie viele junge Leute meines Alters siehst du da auf der *guten* Seite des Zauns? Nicht viele, das kannst du mir glauben. Die meisten von uns arbeiten in öden Mindestlohnjobs wie diesem hier und wohnen bei der Großmutter. Nimm mich zum Beispiel: Meine Eltern konnten es einfach nicht mehr ertragen, mich und meine vergeudeten Chancen mitanzusehen, also haben sie mich abgeschoben. Haben gesagt, sie mögen meine ›feindselige Einstellung‹ nicht. Sie mögen mein ›negatives Selbstbild‹ nicht. Jetzt leben sie in – rate mal – Süd-Carolina, zusammen mit all den anderen, die dieses bescheuerte Land an die Wand gefahren haben. Und ihr positives Selbstbild können sie sich in ihren Du-weißt-schon-wohin stecken, wenn's nach mir geht. Ich und meine Großmutter, wir kommen auch ohne sie zurecht. Ich weiß noch nicht wie, aber irgendwie kriegen wir das schon hin.«

Sal hatte sich ein Budget von acht 25-Cent-Münzen pro Tag gesetzt, und meist war das mehr, als sie brauchte. Ein Apfel oder eine Banane; eine Schachtel Tierfigur-Kekse; ein Karton Saft. »Alles, was man braucht«, versicherte Tim ihr, wenn er ihren Minimaleinkauf an der ratternden Registrierkasse zusammenzählte. »Vitamine, Mineralien, Ballaststoffe – und gerade so viele Kekstiger, wie man

Köpfe abbeißen möchte. Der Mensch lebt nicht vom Brot allein, kleines Mädchen. Wir müssen auch mal einen Kekstiger bei den Hinterbeinen packen, wir müssen reinbeißen und einen schönen Abdruck unserer Zähnchen hinterlassen. Wir müssen auch mal jemand anderem schaden als uns selbst. Macht einen Dollar sieben, aber nimm die Pennies hier aus dem Glas, dann ist es genau ein Dollar. Das ist hundert Prozent echtes amerikanisches Geld, kleines Mädchen, und schau dir an, was die meisten Leute damit machen. Sie werfen es einem Wildfremden in das Glas hier, als sei nichts dabei.«

★★★

Wenn sie morgens an der Theke des Store 24 stand, dann war das, als warte sie an der Schnittstelle zu einer anderen Dimension, wo unbestimmt orientierungslose junge Männer, alle in den gleichen Ringelpullovern, zerschlissenen Jeans und Baseballmützen mit langem Schirm, schlafwandlerisch die Türglocke in Gang setzten, sich vor den schiefen, wackligen Zeitschriftenregalen aufbauten und Zigaretten und Fleischsurrogatprodukte kauften, dazu Lotterielose, deren Namen sie über den Tresen riefen wie die schlaffen Hallelujas in einem endlos deprimierenden Gottesdienst. Die goldene Zahl, Mach dein Glück, Rubbel dich reich, der Mega-Jackpot, eine Litanei großer Versprechen, die schon mit dem Kauf in sich zusammenfielen, wie ein Sternwind, den sein eigenes Verschwinden verschluckt.

»Als hätten wir alles aufgegeben, und zuallererst die Vorstellung von einem gemeinschaftlichen Leben«, sagte Tim. Manchmal, wenn keine andere Kundschaft da war, folgte er ihr nach draußen und setzte sich auf den Rinnstein. Er zollte ihr gerade so viel Beachtung, dass sie nicht weggehen konnte. »Nirgendwo kann man sich mal zusammensetzen und reden, und es wäre ja auch keiner zum Reden da. Alle sind bei ihren Scheißjobs, oder sie schlurfen durch riesige Einkaufszentren voll mit Formfleisch und Fabrikkäse, keiner hat mit jemand anderem etwas gemeinsam, denn wer will schon mit anderen die Einsicht teilen, dass wir alle gleich sind? Aus uns allen wird nie etwas. Wir wohnen alle bei unseren Großmüttern. Und es wird erst besser, wenn wir tot sind. Gestern war so eine Jobberaterin bei uns im College, eine nette Frau namens Mrs. Ramirez, und nach dem, was sie sagt, kann ich mich entweder darauf freuen, ungezogenen Schulkindern das beizubringen, was ich als Schulkind auch nicht lernen wollte, oder darauf, verzweifelten Leuten per Telefon beim Ausfüllen von Kreditanträgen zu helfen. Als ob die Zukunft jeden Tag kleiner wird. Und sie nimmt uns mit.«

Manchmal fand sie ihn morgens noch schlafend in seinem Auto, einem zerbeulten Plymouth Sundance mit Rennstreifen und wackligem Beifahrersitz; innen an der Windschutzscheibe hing noch der Zigarettenrauch vom Vorabend. Manchmal nahm sie seinen gestreiften Pullover und die braune Cordhose mit nach drinnen und wusch sie, und Tim wartete so lange mit laufendem Motor und hörte sich Don Imus im Autoradio an, in eines der gemusterten Spannlaken aus Sals improvisiertem Bett gewickelt, und aß Kekse aus dem Automaten, einer Schatztruhe, die nie leer wurde. »Die Liebe ist keine körperliche Erfahrung, kleines Mädchen«, erklärte er. »Eher geht es darum, dass zwei Seelen über Raum und Zeit zueinander finden. Ich erwarte nicht von dir, dass du mich küsst oder umarmst oder mir auch nur übers Haar streichst. Ich will nur, dass du dich spirituell in eine Richtung entwickelst, die zu dem passt, was ich mit meinem Leben vorhabe.«

Und so fing er an, ihr Sachen zu bringen, die sie nicht brauchte, und wenn sie ihm zu verstehen gab, dass sie sie nicht brauchte, nahm er sie in seinem Auto wieder mit zurück oder ließ sie auf dem Rücksitz bei den zerkrumpelten Zeitungen und Baseballzeitschriften liegen, den großen, zerlesenen Lehrbüchern über Anatomie, Soziologie und weltweite Telekommunikation, die er als Erinnerungsstücke an seine zu Ende gehende Collegezeit behielt. Er brachte ihr verblasste Fotos von Tieren und Freundinnen aus seiner Kindheit, Plastikpokale für höchste Punktzahl und besten Durchschnitt im Bowling, Taschenbücher, von deren eselsohrigen, wasserfleckigen Umschlägen ihr Wölfe mit funkelnden roten Augen entgegenstarrten, und schwer benagte grüne Spielzeugsoldaten, die er in einer großen Keksdose aufbewahrte, mit den Klebstoffspuren und Überresten eines abgelösten weißen Etiketts darauf.

»In den ersten Jahren werden wir uns zuerst einmal intellektuell näherkommen«, dozierte er, als erläutere er den Plan für eine Expedition in das Innere Afrikas. »Dann werden wir uns äußerlich angleichen wie Hand und Handschuh, wie Schuh und Fuß. Wenn du zum Beispiel beschließt, dass du Künstlerin werden und in der Wüste leben willst, diese ganze Georgia-O'Keefe-Geschichte, dann muss ich mich damit abfinden, dass ich kein Arktisforscher oder Auslandskorrespondent sein kann. Ich passe mich dir an, du passt dich mir an. Unser ganzes Leben hindurch werden wir immer wieder in solche Konflikte geraten, aber wir werden jeden davon überstehen, und unsere Liebe wird umso stärker dadurch. Weil es zwischen dir und mir eine Synergie gibt, kleines Mädchen. Was heißt, dass wir zwei zusammen mehr sind als die Summe unserer Teile. Wir sind füreinander bestimmt, ob das den anderen passt oder nicht.«

★★★

Tim betrat nie den Waschsalon oder stellte Fragen nach ihrem früheren Leben; wenn also von Sal erwartet wurde, dass sie jemanden liebte, wenn sie größer wurde, dann konnte es genauso gut er sein. Tim war ein Junge und sie war ein Mädchen. Tim war groß und sie war klein. Tim hatte auf der Welt einen Platz, an dem er sich mit anderen Leuten unterhielt, und Sal hatte einen, an dem sie das nicht tat. Und da sie in allem so unterschiedlich waren, konnten sie doch auch gemeinsam unterschiedlich sein. Jeden Morgen ging Sal während seiner Arbeitszeit zum Store 24 und gab nie mehr als die vorgesehenen acht 25-Cent-Münzen aus. Aber sie erzählte ihm nie etwas von dem Unglücklichen, und sie erzählte ihm nie etwas über Daddy. Alles war perfekt eingerichtet für Leute, die vorhatten, gemeinsam alt zu werden.

Am Halloweenmorgen schneite es, rund um die liegengebliebenen Autos auf dem Parkplatz bildeten sich körnige Eispfützen. Als sie in einem gestreiften Flanellkissenbezug mit Löchern für Kopf und Arme – wie das Messgewand eines alternativen Priesters –, den sie über ihr rosa Kleid gezogen hatte, zum Store 24 kam, lud Tim sie zum Essen ein. »Ich hole dich um sechs Uhr ab«, sagte er, »gleich, wenn ich aus dem College zurück bin, und du musst nichts mitbringen, es sei denn, du willst etwas anderes trinken als Wein und Leitungswasser. Großmutter hat nie Getränke mit Zucker im Haus, wegen ihrer Medizin.«

Es fühlte sich nicht so sehr nach Fahrt an, wenn man in Tims Auto saß; eher sah man durch die Scheibe eine andere Welt in der Ferne davonziehen. Das ganze Gefährt schüttelte sich – Türschlösser, Sitzgestelle, Unterboden und etwas Rundes, Stählernes, Loses im Benzintank, wie eine große Eisenrolle in einem zerbeulten Blecheimer. Die

Scheibenwischer schlugen hilflos nach dem grauen, schimmernden Nebel, der mit jeder Bewegung dichter wurde, und aus den Düsen im Armaturenbrett kam mehr Lärm als warme Luft. Im Wald sahen selbst die dicken Baumstämme undeutlich und unbestimmt aus, als ob man vergessen müsse, wohin man wollte, damit man hinkam.

»Es gibt ein paar Sachen, die du über Großmutter wissen solltest«, sagte Tim und wischte die Windschutzscheibe mit einem verwaschenen grauen Spültuch. »Erstens, ihr Verstand ist noch weitgehend in Ordnung, und wenn es einem manchmal anders vorkommt, dann liegt das an ihren Zähnen. Zweitens, sie will mich immer beschützen, weil ich ihr einziger noch lebender Enkel bin. Ich bin alles, was sie hat, wir sollten also mit keinem Wort erwähnen, dass wir womöglich gemeinsam fortwollen. Anfangs ist sie vielleicht abweisend, aber sie wird herzlicher im Laufe der Zeit. Und wenn sie dich erst mal so gut kennt wie ich, wird sie auch aufgeschlossener gegenüber unserer Beziehung sein. Viele Menschen heutzutage haben eine schmutzige Fantasie, wenn es um erfüllte Beziehungen geht, aber nicht Großmutter. Großmutter hat im Leben einiges mitgemacht. Sie urteilt nicht über andere, und sie mag es auch nicht, wenn man über sie urteilt.«

Hier draußen gab es keine Straßenlampen, nur ein paar Aluförmchen, die Leute als Reflektoren an Bäume und Zaunpfosten genagelt hatten. Als sie die lange, nur spärlich mit Kies bestreute Auffahrt zu dem einfachen zweistöckigen Haus hinauffuhren, bellte irgendwo in der Ferne ein Hund, als wolle er sie auf sich aufmerksam machen. Tim stellte die Zündung ab; der Motor tuckerte noch ein paar Sekunden lang vor sich hin. Dann fasste Tim Sal bei der Hand, zum ersten Mal, seit sie sich kannten.

»Es gibt nichts Besonderes«, flüsterte er. »Nur Fischstäbchen, Corn Dogs und Erbsen aus der Kühltruhe. Das Wichtigste ist: Lass dir von ihr keine Angst einjagen. Sie ist schon eine ziemlich schräge alte Vogelscheuche, selbst an ihren guten Tagen.«

★★★

Großmutter saß im blauen Bademantel auf einem pieksigen Sofa aus Weidengeflecht und starrte ein buchgroßes Transistorradio auf dem Tisch an. Ein zur Antenne gebogener Kleiderbügel steckte im Stumpf des abgebrochenen Teleskopstabs. Großmutters Mund hing zahnlos offen, ohne Rücksicht auf die Gebote der Sittsamkeit, und ihre linke Hand, die sie geballt, mit hervortretenden Adern in ihrem Schoß hielt, war der schwerste, stabilste, massivste Teil von ihr. Großmutter massierte diese geballte Faust unablässig mit der schlankeren, beweglicheren anderen Hand, als streichle sie ein Haustier. Sie war der dünnste Mensch, der Sal je begegnet war, und ihr Schädel sah unter ihrem spärlichen, frisch dauergewellten Haar wie eine getüpfelte rosa Badekappe aus.

»Ich wollte ihr beim Make-up helfen«, sagte Tim traurig. »Aber das ist nicht so ganz gelungen.«

Großmutter sprach erst, als Tim das Transistorradio, das Tanzmusik im Stil der Dreißiger spielte, abschaltete. Was sie dann sagte, war:

»Raaaaaaaaa. *Raaaaaaaa.*«

Während Tim von drei Fertigmahlzeiten die Aluminiumdeckel abzog und sie neben dem Radio im Kreis arrangierte, ließ Großmutter ihre blaurote Zunge in dem rund aufgerissenen Mund kreisen wie einen Rührbesen.

»Raaaaaaaaaaaa«, sagte Großmutter.

»Großmutter erzählt dir von ihrem Schlaganfall«, sagte Tim. Er legte Sal ein Stück Küchenpapier auf den Schoß, ohne sie dabei zu berühren; offenbar war er verlegen nach dem gewagten Augenblick im Auto. »Und dass sie nie wieder ganz die Alte gewesen ist, seit wir auf der Bowlingbahn ihre Zähne verloren haben.«

»Raaaaaaaaaaaaaa«, sagte Großmutter.

Tim holte Porzellanteller aus der Küche, immer nur einen. Ketchup, Mayonnaise und einen großen Becher streichzarte Margarine.

»Sie möchte wissen, ob du schon mal verheiratet warst.« Tim stand mit dem Rücken zu Großmutter und zwinkerte Sal zu. »Spiel einfach mit. Ich weiß nie, ob sie Witze macht oder nicht.«

»Nein«, sagte Sal. Sie hob ein verkohltes Fischstäbchen hoch und musterte es. »Ich bin ja erst vier Jahre alt.« Sie zögerte kurz, dann legte sie das Fischstäbchen wieder zurück neben den Ketchupklecks auf ihrem Teller. »Vielleicht auch fünf. Das weiß ich nicht so genau.«

»Raaaaaaaa.«

Tim war fertig mit Auftragen. Er setzte sich und zerteilte Großmutters Fischstäbchen mit der Gabel in kleine quadratische Bissen. »Jetzt sagt sie etwas Nettes über mich«, sagte er, ohne aufzublicken. »Ein richtiges Loblied. Wenn sie nicht meine Großmutter wäre, würde es mir schmeicheln. Was für ein Prachtjunge ich bin, wie schwer ich immer arbeite, bla bla. Aber das *erwartet* man ja auch von Großmüttern, wenn sie die zukünftige Frau ihres Enkels kennenlernen. Sie sagt nur das, was man von Großmüttern in solchen Fällen *erwartet*.«

***

Nachdem Tim sie wieder am Waschsalon abgesetzt hatte, stand Sal allein auf dem Parkplatz, fühlte sich unsicher und ungeborgen. Die liegengebliebenen Autos waren abgeschleppt worden, zurückgeblieben waren nur noch rußige Ausrufezeichen aus körnigem, grauem Eis, und schon bevor sie an die fingerabdruckübersäten Glastüren des Waschsalons kam, spürte sie, wie Riegel in Türrahmen fassten, hart und unerbittlich. Es war, wie wenn man vor einem Aquarium stand und auf all das bläuliche, unförmige Licht starrte, der gebrochenen Stille lauschte, und eine Zeitlang genoss Sal das Gefühl der Abgeschiedenheit, das sie dabei empfand, ein schlichtes, sachliches Verständnis all der Räume, die sie zurückgelassen hatte. In Tims Haus hingegen gab es viele Räume voll mit Pappkartons und zerbrochenen, wasserfleckigen Lampen. Wenn sie Tim erst besser kannte, würde er ihr vielleicht den Keller zeigen. Der Keller in einem solchen Haus musste großartig sein.

Da auf dem Parkplatz spürte Sal, wie die Zukunft in ihren Gedanken Gestalt annahm. Tim und Großmutter und der Keller. Fahrten zum Waschsalon mit Tims Wagen. Ihre Schlüssel würde sie unter der Bank verstecken, wo sie sie auch an diesem Abend gelassen hatte, zur Erinnerung an das gute Leben dort. Der Unglückliche würde Runde um Runde mit seinem Auto drehen, verloren in einer fremden Umlaufbahn, würde niemals wissen, wohin er unterwegs war und ob er dort angekommen war. Körper, die ihre feste Bahn um andere Körper zogen. Alle auf ihrer endlosen Reise durch dasselbe Universum, ob sie wollten oder nicht.

Langsam fielen die Schneeflocken, eine nach der anderen, dann zu dreien und vieren, dann wirbelten Hunderte, Tausende umeinander mit immer strahlenderer Intensität. Sie piekten Sal im Gesicht und an den Armen wie kleine Insekten, ohne Gier und ohne Absicht. Sie bedeuteten nicht mehr und nicht weniger als schlicht und einfach sie selbst.

»Wir können immer nur *ein* Zuhause haben«, sagte Sal laut, während der stöbernde Schnee sie mit seiner Welt des Unsichtbaren umhüllte. »Aber wenn wir es nicht zu schätzen wissen oder wenn wir den Schlüssel vergessen, dann haben wir überhaupt kein Zuhause mehr. Dann müssen wir weiterziehen. Wir müssen wieder ganz von vorn anfangen.«

Das Buch der Leute

»Manche Leute erleben schmerzliche, traumatische Dinge, an denen sie ihr ganzes Leben lang zu tragen haben«, erklärte Mrs. Mayhew etliche Wochen später in ihrem vollgestopften, fensterlosen Büro der staatlichen Kinderfürsorge, einem klobigen, weißen Fertigteilbau an der Hauptstraße einer dünnen Stadt mit sehr blauen Seen und sehr grünen Bäumen da und dort. »Andererseits gibt es aber auch Leute, die erleben etwas so Schmerzliches, dass sie sich hinterher nicht mehr daran erinnern, und das nennen wir das traumatische Schocksyndrom. Traumatisches Schocksyndrom ist eine sehr geheimnisvolle Krankheit, bei deren Verständnis wir noch ganz am Anfang stehen, eine besonders schwerwiegende Form der Verdrängung, an der sogar kleine Mädchen wie du leiden können. Um es ganz einfach auszudrücken, manchmal widerfahren uns so hässliche Dinge, und das so regelmäßig, dass wir uns angewöhnen, sie nicht mehr zu beachten, sie hinter einer großen schwarzen Tür verschließen, damit sie uns keine Angst mehr machen können. Solche Erfahrungen können körperlich wehtun oder sie können unseren Gefühlen wehtun. Es können wortwörtlich Bestien und Ungeheuer daran beteiligt sein – Menschen, die uns etwas Unerklärliches antun, ohne erkennbaren Grund. Aber genauso oft sind es *eingebildete* Bestien und Ungeheuer, etwas wie Albträume oder die grässlichen Geschichten, die uns jemand darüber erzählt, wer wir in Wirklichkeit sind. Wenn wir mit diesem Missbrauch so gut zu leben lernen, dass wir ihn gegen uns selbst richten, kommt etwas in Gang, was ich das stabile Selbstmissbrauchssyndrom nennen möchte, eine Abart des traumatischen Schocksyndroms, die von der Fachwelt in ihrer Engstirnigkeit bisher nicht unter die anerkannten Krankheiten aufgenommen wurde. Aber so ist das. Von der Fachwelt nicht anerkannt zu werden ist ein Kreuz, das wir als Sozialwissenschaftler ziemlich oft tragen müssen. Das ist etwas, womit man zu leben lernt, wenn man weiterhin über den Tellerrand sehen will.«

Sie saßen sich an Mrs. Mayhews lackiertem Schreibtisch gegenüber, auf dem mehrere braune Aktendeckel ausgelegt waren wie ein Arrangement riesiger Spielkarten, mit bunten Plastikreitern, die schamlos preisgaben, welche Fälle Mrs. Mayhews stets wachsamer Aufmerksamkeit anempfohlen waren. Fall 4223, Fall St-317, Fall Anon2004. Der schmalste dieser Aktendeckel war aufgeschlagen, darin befand sich nur ein einziges Blatt Papier, das Mrs. Mayhew nicht ansah. Körpergröße, Gewicht, Alter, Haar- und Augenfarbe – Sal konnte den Anblick nicht ertragen. Sie kam sich so bloßgestellt vor. Dass ihre persönlichen Daten sich in diesen Akten befanden, war für Sal ein Ausmaß an gesellschaftlicher Bindung, wie sie es bisher nicht gekannt hatte.

Sie hoffte nur, dass sie es nicht lange kennen musste.

Mrs. Mayhew sah irgendwie zerfleddert aus, wie ein aufgegangener Schnürsenkel. Die Brille hatte sie in einem merkwürdigen Winkel auf, so als sähe sie verstohlen sich selbst an.

»Ich sage nicht, dass eine Reise in das Innere deiner Psyche einfach wird, Stephanie. Aber es ist auf alle Fälle sinnvoller, als alles in deinem Inneren zu verschließen. Solange du dich verschließt, wird es keine gesunden, dauerhaften Beziehungen zu anderen Menschen für dich geben. Du sollst wissen, dass ich dir helfen will, Stephanie, dass ich dir zur Seite stehe, egal wie lange es dauert. Willst du mein Angebot annehmen und dir von mir helfen lassen? Ich verspreche dir, dass ich jede Entscheidung, die du fällst, mittrage – ob ich sie für richtig halte oder nicht.«

Etwas abseits von all dem Durcheinander auf Mrs. Mayhews Schreibtisch stand eine gerahmte Fotografie von einem Golden Retriever mit einem blauen Gummiball zwischen den Zähnen. Es war ein netter Hund, dachte Sal, das sah man. Und viel interessanter anzusehen als Mrs. Mayhew.

Zum ersten Mal seit sie sich kannten, lächelte Mrs. Mayhew. Als schlüge der Wind um auf einem zugefrorenen See.

»Sie heißt Madame Butterfly. Findest du, das ist ein merkwürdiger Name für eine Hündin, Stephanie? Ich meine, schließlich heißt es Schmetterling.«

Sal wandte den Blick von der Fotografie ab. An dieser Stelle blieb ihr nichts anderes übrig, als Mrs. Mayhew anzusehen.

»Wahrscheinlich schon«, sagte Sal zögernd. Ihre rosa Hände hoben sich von dem weißen Baumwollkittel ab, den sie bekommen hatte, als man sie vom Hospital hierher gebracht hatte. Bei einer Frau wie Mrs. Mayhew musste sie auf der Hut sein.

»Aber Hunde haben ja meistens merkwürdige Namen«, sagte Sal nach einer Weile. »Das gehört einfach dazu, wenn man Hund ist.«

★★★

Sal ließ mehrere solche Einzelsitzungen in Mrs. Mayhews Büro über sich ergehen, wo sie kaltes Wasser tranken und dünne Mortadellasandwiches aßen. Zu den meisten dieser Sitzungen gehörten lange, kreisende Vorträge von Mrs. Mayhew über korrekte Ernährung und Reinlichkeitsregeln für kleine Mädchen und über Filme oder Fernsehsendungen, die sie kürzlich gesehen hatte und in denen »normale« Beziehungen zwischen Kindern und Erwachsenen herrschten; außerdem Schnappschüsse, unscharf und falsch belichtet, von Leuten aus Sals jüngster Vergangenheit. Diese Fotos anzusehen – die Mrs. Mayhew ihr nicht einfach zur Betrachtung vorlegte, sondern mit denen sie sie überrumpelte, wie die Pointe in einem Witz – war, als blicke man durch die Fenster eines Puppenhauses auf jemand anderes Puppen.

»Hier haben wir eine interessante Person, die bei uns in der Stadt lebt«, sagte Mrs. Mayhew eines Tages, nahm ein mit Pappe verstärktes Foto von dem Stapel, den sie im Schoß hatte, und knallte es auf den Tisch, als rufe sie »Rommé!« auf einer Gartenparty. »Sie heißt Ellen Mitchell Davidson und war früher Grundschullehrerin in New Hope. Einst eine Frau, die sich für das Gemeinwohl einsetzte, mit guten Beziehungen zur Methodistengemeinde, doch als im Jahr '79 ihr Ehemann starb, brach sie jeden Kontakt mit anderen Menschen ab. Ihre Nachbarn berichten, dass sie abweisend und mürrisch wurde, außer Stande, zum Einkaufen zu fahren, ohne dass sie dabei an einem Hydranten oder in einer Hecke landete. Jetzt sieh dir bitte dieses Foto an, Stephanie, und sage mir, was du über Ellen Mitchell Davidson weißt. Warst du je für längere Zeit mit ihr zusammen? Hat sie dich je aufgefordert, etwas zu tun, was du nicht tun wolltest?«

Das Bild war wie eine Karikatur von Großmutter, die fleckige rosa Haut wie ein dünner beigefarbener Klecks vor dem groben Hintergrund. Ihre kleinen stechenden Augen blickten überrascht und hell erleuchtet, als habe jemand durch Stoffklappen an ihrem Hinterkopf ein Blitzlicht hineingesteckt. Es war schwer für Sal, sich diese Hülle einer Frau ohne das Alter, losgelöst von der Umgebung ihres Hauses vorzustellen. Sie fand das nicht fair. Großmutter, der man alles Großmütterliche genommen hatte.

Aber Sal wusste, wie das hier ging. Wenn sie über andere redete, musste sie nicht über sich selbst reden. Sie verriet niemanden; sie verteidigte sich nur.

»Ich habe sie nur als Großmutter gekannt«, bot Sal nach einer Weile an und wünschte sich, es gäbe in Mrs. Mayhews Büro eine Uhr. Sie war nie zuvor auf den Gedanken gekommen, sich eine Uhr zu wünschen, aber jetzt ging es ihr nicht mehr aus dem Kopf. »Sie lebt im Wald. Sie hat keine Haustiere, und sie kocht nie etwas. Ich wusste nicht, dass sie Ellen Mitchell Davidson heißt. Aber wenn Sie mir sagen, dass sie so heißt, dann stimmt das sicher.«

Mrs. Mayhew blickte Sal fest in die Augen; und dann zog sie, mit einer kleinen Augenbewegung, eine Linie von Sals Augen zu der Person auf dem Foto, als fädle sie eine Nadel ein.

»Viele Jahre lang«, erklärte Mrs. Mayhew, »arbeitete diese Frau, die du ›Großmutter‹ nennst, mit Kindern aller erdenklichen Herkunft. Viele dieser Kinder waren kleine Mädchen genau wie du, die unbekümmert in die Welt schauten, mit gesunden Verhaltensmustern. Ihre Eltern und Erziehungsberechtigten wussten nicht, wie es in der Schule zuging, in die sie diese glücklichen kleinen Mädchen schickten, in der Erwartung, dass ihnen die sogenannte ›Großmutter‹ wichtige Dinge beibrachte. Sie vertrauten auf diese Frau und hörten auf ihr Urteil. Und immer wenn sie den Kindern etwas auftrug, dann taten sie das. So unerwartet oder überraschend ihre Äußerungen auch sein mochten, sie wurden für bare Münze genommen, denn sie kamen ja schließlich von einer ›Respektsperson‹. Lass uns jetzt, einfach nur zum Spaß, ein kleines Spiel spielen, Stephanie. Wir tun so, als seist du eins von den kleinen Mädchen, von denen ich gerade gesprochen habe, und ich bin jetzt nicht mehr Mrs. Mayhew. Ich bin stattdessen die Frau, die du ›Großmutter‹ nennst. Würdest du das für mich machen, Stephanie? Du merkst, ich warte auf deine ausdrückliche Bestätigung, bevor ich weitermache. Weil ich nämlich nichts tun will, was du nicht willst.«

Sal lutschte einen Moment lang an ihrer Zunge. Seit sie hier in diesem großen Haus bei Mrs. Mayhew wohnte, hatte sie insgeheim Geschmack an sich selbst gefunden.

»Ich nehme an, das wäre in Ordnung«, sagte Sal.

Manchmal sah Mrs. Mayhew Sal über den Tisch hinweg an, als versuche sie durch einen schmalen, kaum erkennbaren Schlitz in Sals Stirn zu blicken.

»Ich danke dir sehr«, sagte Mrs. Mayhew. »Und wenn du nichts dagegen hast, fangen wir gleich an.«

★★★

Es dauerte eine Weile, bis diese Spiele in Gang kamen, aber dann ging es in flottem Tempo dahin.

»Guten Tag, Stephanie. Möchtest du bei mir auf dem Schoß sitzen? Möchtest du, dass ich dir das Haar streichle?«

»Nein danke, Großmutter.«

»Möchtest du, dass ich dich bade? Oder dich zu Bett bringe?«

»Ich glaube, jetzt im Augenblick ist mir nicht nach einem Bad.« Sal überlegte einen Moment lang, schied säuberlich zwei Arten von Realität. »Ich habe heute morgen gebadet.«

Mrs. Mayhew beugte sich auf ihrem Schreibtischstuhl mit der beweglichen Rückenlehne vor, stützte sich mit ihren fleckigen, runzligen Ellenbogen auf das Arrangement aus braunen Aktendeckeln.

»Vielleicht würde dir das guttun, junge Dame. Vielleicht solltest du dich ausziehen und in ein schönes warmes Bad steigen. Dann könnte ich dich von oben bis unten mit dem Spültuch abschrubben. Vielleicht könnten wir mit dem Spültuch den selbstzufriedenen Ausdruck von deinem Gesicht waschen.«

Sal musste einen Moment überlegen, was sie darauf antworten sollte.

»Morgen vielleicht«, sagte Sal.

»Ich glaube, du hast mich nicht verstanden.«

»Ich habe sehr gut verstanden.«

»Vielleicht frage ich dich gar nicht nach deiner Meinung. Vielleicht habe ich dir gerade etwas befohlen, und du gehorchst.«

Mrs. Mayhew schwitzte nicht im eigentlichen Sinne, aber sie strömte einen feinen, geruchlosen Dunst um Augen und Ohren aus. Wenn sie Luft ausstieß, blähten sich ihre Nasenflügel, als brächte sie die Gedanken nicht schnell genug aus ihrem Verstand heraus.

»Vielleicht bin *ich* diejenige, die kleinen Mädchen sagt, ob sie ihr Bad nehmen sollen oder nicht«, fuhr Mrs. Mayhew fort. »Vielleicht sollten diese kleinen Mädchen tun, was ich ihnen sage. Und wenn sie nicht tun, was ich ihnen sage, dann sollten sie vielleicht bestraft werden. Vielleicht würden sie dann lernen, wann man Ja und wann man Nein zu einem Menschen sagt, der einen liebt. Gerade wenn sie es mit einem wichtigen Menschen wie mir zu tun haben.«

»Wenn Sie das sagen, Großmutter.«

»Möchtest du, dass ich Tim hereinrufe?«

»Nein, lieber nicht.«

»Weißt du, was mit bösen kleinen Mädchen gemacht wird? Gerade wenn sie ihr Bad nicht nehmen, wie man es von ihnen verlangt?«

Immer wenn Sal mit Mrs. Mayhew sprach, war ihr, als sinke sie in eine flache, graue Wüste ein, nichts als Sand und Gestrüppwalzen im Wind. Nicht leicht, die Heftigkeit von Mrs. Mayhew auszuhalten, dachte Sal. Wahrscheinlich spricht deswegen keiner mit ihr außer mir.

»Das würde mir gar nicht gefallen«, sagte Sal.

Manchmal gewann man ein Spiel einfach dadurch, dass kein anderer spielen wollte. Und ein Sieg war allemal besser als ein Unentschieden, dachte Sal. Selbst in einem so sinnlosen Spiel wie diesem hier.

»Und wenn mir etwas nicht gefällt, Mrs. Mayhew, dann gehe ich zu Bett und mache bis zum nächsten Morgen die Augen zu. Sie würden staunen,

Mrs. Mayhew, wie schnell da Sachen verschwinden. Gerade die, die mir nicht gefallen.«

★★★

In ihrem Zimmer konnte Sal es aushalten, trotz Teddybärtapete und einer Nachttischlampe in Form einer Giraffe, die über ihrem schmalen Bett hing wie ein Geier. Auf der Plusseite waren eine Matratze und Schaumstoffkissen, die genau so hart und unnachgiebig waren, wie Sal es mochte, und ein zur Unkenntlichkeit verwaschenes Flanellbettzeug. Wenn man die Augen schloss, dann war dieser Raum genau richtig, um über jeden nachzudenken, nur nicht über einen selbst. Erst wenn Sal die Augen aufschlug, kamen ihr die Dinge aufgeräumt und übermächtig vor.

»Mrs. Mayhew sagt, du sollst dein Nachtgebet sprechen. Aber das ist kein Befehl, eher so eine Art Anregung. Wenn man ein Bedürfnis nach spirituellem Trost verspürt, dann kann ein Gebet die innere Anspannung oder Verwirrung lindern. Mehr will sie nicht sagen.«

Der Nachtaufseher war ein grauhaariger Mann namens Mr. Peterson, der eine Schürze trug und ein blaues Leinenhemd, auf das in Brusthöhe sein Name gestickt war. Er wischte sich oft die Hände mit einem karierten Geschirrtuch, das ihm aus der hinteren Tasche hing, als ziehe er sich an einer sehr kleinen Feder wieder auf.

»Der Lichtschalter ist hier. Und da auf dem Tisch steht ein Glas Wasser. Wenn du in der Nacht etwas brauchst, klopf einfach dreimal an die Wand. Ich bin gleich nebenan und komme wie der Blitz, mit meiner Nachtsichtbrille und einem Baseballschläger in der Hand. Wir dulden hier keine Ungeheuer unter dem Bett, Stephanie, und wenn wir doch eins finden? Dann wünscht es sich bald, dass es nie geboren wäre.«

Mr. Peterson übernahm die Rolle von Mrs. Mayhews Ehemann, nur dass sie in getrennten Zimmern schliefen, nie gemeinsam kamen oder irgendwohin gingen und für unterschiedliche Lebensphilosophien standen. Immer wenn Mrs. Mayhew nicht da war, war Mr. Peterson da, und umgekehrt.

»Normalerweise brauche ich nachts nichts«, sagte Sal zu ihm und verschloss die Augen vor Mr. Petersons Intensität. »Und wenn ich etwas bräuchte, würde ich es mir selber holen.«

»Wenn ich kommen soll, gib ein Zeichen – mehr will ich nicht sagen. Brauchst du denn Hilfe bei deinem Gebet? Wir hier bei St. John's sind eine nicht konfessionsgebundene Hilfseinrichtung für Kinder; viele unserer Gäste beten zu Gott oder Jesus, doch genauso viele beten zu Buddha oder Mohammed. Jeder braucht den Glauben an eine höhere Macht, Stephanie. Sonst vergeht unser Leben und wir glauben an gar nichts. Wie wäre es, wenn ich den Anfang machte? Dann, wenn du siehst, wie es geht, kannst du allein weitermachen. Bist du bereit?«

Sal packte den zerfransten Saum ihres Flanellbetttuchs.

»Okay«, sagte sie leise und schloss die Augen. »Ich denke schon.«

Mr. Peterson holte ein paar Mal tief Luft. Es war, als müsse er sich seiner Gegenwart innerhalb dieses Zimmers vergewissern, ehe er zu jemandem außerhalb sprechen konnte.

Schließlich sagte Mr. Peterson: »So bette ich mich denn zur Ruh.«

Es fühlte sich unaufrichtig an, zu höheren Mächten zu beten, dachte Sal. Aber es war die einzige Möglichkeit, Mr. Peterson loszuwerden.

»So bette ich mich denn zur Ruh.«

»Und lasse das Trugbild des Materiellen hinter mir, um eine größere Realität zu erforschen, welche mich umgibt.«

»Die Größe, die mich umgibt.«

»Ich schreite furchtlos durch das Dunkel.«

»Ich habe keine Angst im Dunkeln.«

»Denn ich weiß, dass der Allmächtige – hier könntest du den Namen der höheren Macht deiner Wahl einfügen, Stephanie, etwa Gott oder Jesus oder sonst etwas – stets bei mir sein wird, um mich zu schützen und mich zu leiten, zur wahren spirituellen Vollkommenheit. Oder etwas in dieser Art.«

»Spirituellen Vollkommenheit«, sagte Sal. »Und so weiter.«

Sal hielt es nicht mehr aus. Sie schlug die Augen auf.

Mr. Peterson sah sie an.

Es war eine lange Zeit, um jemanden anzusehen. Aber das musste Mr. Peterson ja selbst wissen.

★★★

Sie priesen ihr die »Aussage vor Gericht« als »schmerzloses Verfahren« an, in deren Verlauf Sal keinerlei Angaben zu machen brauche, die sie nicht geben wolle. Wenn sie Bedenken bekomme, würden sie den Videorekorder ausschalten, das weiße Hintergrundtuch abnehmen, und die Sache wäre erledigt. Wenn sie in das Kinderhaus zurückwolle, würden sie sie hinbringen. Wenn ihr ein Thema unangenehm werde oder sie verlegen mache, würden sie zu etwas anderem wechseln. Ja, sie müsse überhaupt nicht sprechen, wenn sie nicht wolle: Sie könne auch einfach nicken, mit den Augen rollen oder den Kopf schütteln. Qualifizierte Fachkräfte könnten genau deuten, was sie sagen wolle – ob sie es nun in Worte fasse oder auch nicht.

»Was du immer im Kopf behalten musst, Stephanie: Du wirst keinen von diesen grässlichen Leuten je wiedersehen«, versprach der stellvertretende Bezirksstaatsanwalt. Er war ein Mann mit ungepflegten Fingernägeln, der nach billigem Parfüm roch und eine teure, lautlos laufende goldene Uhr trug. »Wenn du durch dieses Spezialglas hier schaust, können sie dich nicht sehen; nur du siehst sie. Niemand wird je deinen Namen oder deine Adresse erfahren. Wenn es ganz schlimm wird, bekommst du Zeugenschutz; wir schicken dich in einen anderen Staat, und du bekommst eine monatliche Unterstützung, sogar noch nach dem College. Und apropos College, das wird die wichtigste Entscheidung, die du je treffen wirst. Bevor ich aufs College ging, war ich ein richtiger Verlierertyp, ein Pickelgesicht, mit dem kein Mädchen zum Abschlussball gehen wollte, und schau mich heute an. Ich bin stellvertretender Bezirksstaatsanwalt in einem der zehn bevölkerungsreichsten Staaten des Landes. Und falls du glaubst, das habe sich nicht auf mein Liebesleben ausgewirkt, na, dann weißt du einfach nicht, wie das in der Lokalpolitik so läuft.«

Es war, als verstecke man sich auf der falschen Seite im Traum eines anderen. Sal bekam eine gekühlte Dose Fruchtsaft und einen weichen Leinwand-Klappstuhl; dann wurde sie vor ein schmutziges Fenster gesetzt, mit kleinen weißen Spritzern darauf, die irgendwie organisch aussahen, als ob jemand sich davor die Zähne geputzt hätte. Danach öffnete sich auf der anderen Seite der Scheibe in einer der bleichen Wände eine Tür, und Tim half Großmutter ins Zimmer. Großmutter schlurfte jeweils ein paar Schritte, klammerte sich durch Tims rotes Flanellhemd an seinen Arm und stieß lange, vokalreiche Großmutterlaute aus. Unter dem anderen Arm trug Tim Großmutters Gehhilfe aus Aluminium.

»Nur noch ein paar Schritte«, machte Tim ihr Mut. Seine Stimme rauschte und knisterte, wie ein

Transistorradio mit schlechtem Empfang. Er führte Großmutter zu zwei identischen hölzernen Stühlen mit weißen Kunststoffsitzen, die mitten im Raum standen wie zwei Kästchen auf einem Fragebogen – kreuzen Sie eines an. Kreuzen Sie nicht beide Kästchen an, sonst ist Ihre Antwort ungültig.

»Lass dir keine Angst machen, Großmutter. Wir beantworten ein paar Fragen, dann können wir wieder nach Hause. Ich mache dir frischen Pfirsich mit Schlagsahne und ein Schinkenbrot.«

Währenddessen schaltete der stellvertretende Bezirksstaatsanwalt auf Sals Seite der Scheibe die Videokamera, die auf einem Stativ stand, ein und vermerkte Uhrzeit und Datum auf einem Blatt Papier. Obendrauf stand in großen schwarzen Buchstaben:

Offizielle Erklärung – Kind

Was da wohl sonst noch draufkam?, überlegte Sal.

»Kennst du diese beiden Leute?«, fragte er sie.

Sal brauchte einen Moment, bis sie begriff, dass es an sie gerichtet war.

»Das sind Großmutter und Tim«, sagte sie.

»Möchtest du mir etwas über Großmutter und Tim erzählen?«

Wieder überlegte Sal.

»Eigentlich nicht«, sagte sie.

»Diese Großmutter ist ja schon eine ziemlich merkwürdige alte Dame, findest du nicht auch? Was hältst du von dieser sogenannten Großmutter? War sie nett zu dir? Hat sie dir Sachen versprochen,

Süßigkeiten oder Spielzeug zum Beispiel? Oder Püppchen sogar?«

Tim half Großmutter auf den linken Stuhl. Dann setzte er sich auf den rechten.

Oh-oh, dachte Sal. Fragebögen waren immer unfair – es sei denn, man war selbst derjenige, der sie aufsetzte.

»Ich mag keine Püppchen«, sagte Sal schließlich.

Der stellvertretende Bezirksstaatsanwalt setzte sich auf seinem Stuhl so, dass er Sal ansehen sollte. »*Was* magst du an Püppchen nicht, Stephanie? Kannst du mir das genauer erklären?«

Das war die einzige von Sals Antworten, für die sie nicht erst nachdenken musste.

»Sie sind so klein«, sagte sie. »Und hilflos. Sie sehen einen mit ihren leeren Augen an, die nie etwas Interessantes zu sagen haben. Sie wollen, dass man mit ihnen redet, dass man mit ihnen kuschelt, dass man sie im Waschbecken badet, aber sie geben einem nie etwas zurück. Sie sind wehleidig und nutzlos und denken nie an jemand anderen, nur an sich selbst. Sie kümmern sich überhaupt nicht um uns. Sie wollen nur, dass wir uns um sie kümmern.«

⋆⋆⋆

»Die tragen Fußfesseln und stehen vierundzwanzig Stunden am Tag unter Satellitenüberwachung, wenn ich mit denen fertig bin«, versicherte der stellvertretende Bezirksstaatsanwalt Sal später am Tag, als er sie wieder zu Mrs. Mayhew ins Wartezimmer begleitete. »Die werden sich in diesem Land für keinen Job mehr bewerben oder eine Scheißkreditkarte beantragen können, ohne dass jeder deine anonymisierte Aussage in dreifacher Ausfertigung bekommt. Wenn sie in einem Viertel, in das sie nicht gehören, joggen gehen, bellen die Hunde, Streifenwagen haben sie auf dem Radar. Mit anderen Worten, du bist uns eine ungeheure Hilfe gewesen, junge Dame. Ich weiß, dass es schmerzhaft gewesen sein muss, die alten Ängste noch einmal zu durchleben. Aber mit jedem einzelnen leidvollen Augenblick hast du etlichen jungen Menschen genau die Demütigungen erspart, die du durch diese – verzeih den Ausdruck – Arschlöcher erfahren hast. Jetzt übergebe ich dich wieder der hochkompetenten Mrs. Mayhew, und die fährt dich zurück in das Kinderhaus. Vielleicht treffen wir uns wieder, junge Dame, vielleicht auch nicht. Aber ich werde für dich beten. Ich bete, dass du schließlich doch noch den Weg zurück zu deinen wahren, dich liebenden Eltern findest. Natürlich nur, wenn nicht sie diese lange Reihe von Kindesmissbrauch in Gang gesetzt haben. In dem Falle würde ich natürlich beten, dass du sie nie wiedersiehst.«

Sal wusste nicht so recht, womit sie so viel Lob verdient hatte. Der stellvertretende Bezirksstaatsanwalt hatte ihr mit monotoner Stimme eine Reihe von Fragen aus einer dicken Ledermappe vorgelesen, und sie hatte mit Ja geantwortet, wann immer es möglich gewesen war. Wenn es nicht möglich war, hatte sie einfach den Blick abgewandt, und der stellvertretende Bezirksstaatsanwalt deutete das dann kunstvoll aus.

»Die Befragte antwortet nicht«, sagte er und reckte sich ins Bildfeld der surrenden Videokamera, die oben auf ihrem Stativ aus verchromtem und schwarzem Metall saß wie ein mechanischer Vogel. »Möchte die Befragte nicken oder den Kopf schütteln, um eindeutigere Auskunft zu geben? Nein, das möchte sie nicht. Würde die Befragte mir ein Zeichen geben, wenn wir auf der richtigen Spur sind? Wir halten fest, dass sie mir in die Augen geblickt hat. 11 Uhr 14 vormittags. Hast du mir in die Augen geblickt, kleines Mädchen? Darf ich deinen Blick als Bestätigung werten? Halten wir fest, dass sie mir zum dritten Mal in die Augen gesehen hat. Ich würde das als aussagekräftigen Augenkontakt werten. Es ist ein Augenkontakt, der etwas kommunizieren will. Nehmen wir dies also als bejahende Antwort und gehen wir zur nächsten Frage über.«

Auf der Rückfahrt zum Kinderhort schwebte Mrs. Mayhew vor Sal daher im seligen Taumel der Erinnerung. Durch die bläulichen, dick getuschten Wimpern musste die ganze Welt so strahlend und sonnig aussehen wie ein Märchenreich in den Zeichentrickfilmen am Samstagvormittag, vor denen Sal graute wie vor Gedränge im Aufzug oder einem verdorbenen Magen. Ständig drehte sie das Lenkrad hin und her, als steuere sie ein Boot durch weiße weiche Wolken, und schaute nicht ein einziges Mal in den Rückspiegel, obwohl Sal direkt hinter ihr auf dem hinteren Sitz saß.

»Das Allerschönste an Kindern, Stephanie, ist ihre großartige Widerstandskraft«, erklärte ihr Mrs. Mayhew vom Steuer her. »Aber manchmal ist diese Widerstandskraft wie ein großer, weicher Vorhang aus Irrealität, der verhindert, dass sie lernen, wie man mit schlechten Menschen umgeht. Kinder haben keinen Sinn für Recht und Unrecht; sie haben keinen Sinn für Ungerechtigkeit. Sie haben nur drei Begriffe davon, wie die Welt funktioniert, und diese drei Begriffe lassen sich beschreiben als Negierung, Akzeptanz und Kontrolle. Deshalb ist das erste Wort, das ein Kind spricht, in der Regel *nein.* Wie in: ›Nein, ich will keinen Apfelsaft.‹ Oder: ›Nein, ich will nicht zu Bett gehen.‹ Oder: ›Nein, ich will nicht in einem Raum voller Kerzen von Satanisten rituell gedemütigt werden.‹ Für Kinder ist *nein* das machtvollste Wort überhaupt; damit können sie eine Welt beherrschen, die *sie* beherrschen will. Es ist der schönste Begriff von Macht und Vormacht, den das Kind je kennen wird.«

Sie fuhren durch Straßen, wie Sal sie schon tausendmal gesehen hatte. Bars und Waschsalons mit zerrissenen Markisen, Secondhandläden und Brautmoden und Gemischtwaren und etwas mit Brettern Vernageltes, Kastenförmiges aus Beton, das vielleicht einmal ein Postamt oder eine Bank gewesen war. Läden und Lagerhallen und armselige Wohnhäuser voll mit Dingen und Waren, Ansammlungen von Objekten, die tief in ihrem eigenen Schatten verborgen lagen wie denkende Maschinen oder unterschwellige Anspielungen. In so einem Haus bin ich mal gewesen, dachte Sal versonnen, während sie an der Reihe der Häuser entlanggezogen wurde wie ein maschinell hergestellter Gegenstand auf einem Fließband. In einem Haus wie dem da bin ich gewesen und in so einem Waschsalon, sogar in einem Restaurant wie diesem. Aber ich war nie in einem Haus wie dem da drüben, in einem wie diesem hier auch nicht. Das wäre vielleicht interessant, in so einem Haus zu sein. Andererseits, wenn man es sich richtig überlegt, wäre es vielleicht auch überhaupt nicht interessant.

»Schließlich kommt ein Punkt, da wirkt das Wort *nein* einfach nicht mehr. Kinder entwickeln sich; sie lernen sprechen, sie lernen, wie man plant, wie man taktisch vorgeht, sich etwas schnappt. Sie denken über die Bedeutung von Worten nach und machen etwas Kompliziertes daraus, bis es am Ende gar keine Worte mehr sind. Sie lernen, *ja* zu sagen, wenn sie *nein* meinen, und sie sagen vielleicht, wenn sie ja meinen, und so weiter und so fort. Sie lernen zu täuschen. Und wenn sie erst einmal zu täuschen gelernt haben, Stephanie, dann können sie nie wieder Kinder sein. Dann ist ihnen der Zugang zum wahren Sinn ihres Lebens versperrt. Dann werden sie Komplizen in ihrer eigenen Unterjochung.«

Mrs. Mayhew rauchte eine lange Filterzigarette und schnippte Asche durch das halb heruntergelassene Fenster; lächelnd saß sie am Steuer, wie jemand, der ganz genau weiß, wohin die Reise geht.

»In meinem Beruf sprechen wir von der Phase der Sinnfindung in der Entwicklung des Kindes. Es ist eine Phase des Wachstums, in welcher der Verstand über seine räumlichen Begrenzungen hinauswächst und die Grenzen immaterieller Eigenschaften erforscht. Ich weiß, wir haben über diese Aspekte der Kindheit bisher nicht gesprochen, Stephanie, aber du musst mir verzeihen, dass ich eine Zeitlang im Glauben war, du seist für die Beschäftigung mit solchen Themen noch nicht reif. Aber das war, bevor ich die Erklärung gelesen hatte, bei der du Ron behilflich warst. Als ich diese Erklärung gelesen hatte, da wusste ich, du bist reif genug, um alles zu verstehen.«

⋆⋆⋆

Sal hatte den Eindruck, dass sie immer wieder durch die gleichen Straßen kamen, in keiner erkennbaren Reihenfolge, dieselben Gebäude und Nachahmungen von Gebäuden, als wären sie in einer kreisförmigen Landschaft gefangen, am Horizont befestigt wie ein in eine hölzerne Trommel geschlagener Nagel. Hier bin ich schon einmal gewesen, dachte Sal bei sich, reglos im steten Strom von Mrs. Mayhews Stimme. Ich bin hier gewesen und da gewesen, und da war ich auch. Und wenn Mrs. Mayhew ihren Willen bekommt, muss ich hier immer und immer wieder vorbei. Das liegt nicht daran, dass Mrs. Mayhew grausam ist oder so was. Sie hat nur einfach überhaupt keine Fantasie.

Mrs. Mayhews Stimme verglich Sal mit Asteroiden, mit Sonnensystemen, dem Lauf der Gezeiten und den Erzadern im Erdinneren. Sie verglich sie mit Zahlenfolgen in einer offenen Menge, mit dem spirituellen Wirken eines Demiurgen und dem Gedächtnis des Wassers. Als ob man eine Spazierfahrt durch eine Ideensammlung machte, dachte Sal. Mrs. Mayhews Wagen war längst kein Transportmittel mehr. Er war ein in immer weitere Dimensionen vordringender Behelf, um Sal zu begreifen.

»Es gab vieles, das ich für mich behalten musste«, vertraute ihr Mrs. Mayhew ungefähr eine Stunde später an. Sie waren stadtauswärts gefahren und über so viele Autobahnkreuze hin und wieder zurück, dass es nun den Anschein hatte, als seien sie in alle Richtungen gleichzeitig unterwegs. »Aber ich will dir die Wahrheit sagen, Stephanie. Wir werden deine Eltern niemals finden. Und der Grund dafür ist, dass du nicht nach den üblichen biologischen Verfahren entstanden bist. Deine Mommy ist die Erde und dein Daddy ist der Himmel, und du bist durch Kondensation entstanden, wie Regen oder Erleuchtung. Seit vielen Jahren gehöre ich einer Geheimgesellschaft an, Stephanie. Wir nennen uns die Shaper, und wir warten seit ungezählten Jahrtausenden auf die Ankunft eines kleinen Mädchens von genau deiner Art. Ein kleines Mädchen, das die Sünder zu ewiger Verdammnis und ewigem Leid verurteilen wird. Und wenn ich von Sündern spreche, Stephanie, ich glaube, dann weißt du, an welche Art Sünder ich denke. Die, die sich an kleinen Mädchen und kleinen Jungs zu schaffen machen. Die, die unsere Institutionen unterwandern und verhindern, dass Leute wie ich gute Arbeit leisten. Denn wenn man es einmal wirklich auf das Wesentliche reduziert, Stephanie, dann gibt es nur zwei Arten von Menschen auf dieser Welt. Diejenigen, die Kinder bewahren und sie glücklich machen wollen, die teilhaben wollen an der wunderbaren Frische ihres Geistes. Und diejenigen, die sie verderben und beschmutzen und aus jedem Kind, das ihnen begegnet, jemanden machen wollen, der genauso abstoßend und verlogen und verdorben ist wie sie selbst.«

★★★

Es war, als hätten alle von Anfang an gewusst, dass Sal etwas ganz Besonderes war. Sie hatten alle nur auf den richtigen Augenblick gewartet, es ihr zu sagen.

»Für jemanden wie dich«, erklärte ihr Mr. Peterson später am Abend in Sals hartem, unverwüstlichem Zimmer mit den gerahmten 3-D-Postern von Jesus, Buddha und Mohammed, »ist das Gebet kein Mittel, mit Gott zu kommunizieren. Es ist ein Mittel, die Harmonie unserer Welt in einer ewigen Gegenwart auszudrücken, weshalb ich ja bei unseren

Abendgebeten auch immer so viel Wert auf abstrakte Formen gelegt habe. Ich weiß, du bist ein Mensch, der gern für sich bleibt, Stephanie, aber viele von uns warten auf Erleuchtung durch dich. Da ist Fred in der Küche und Sally, die hier saubermacht. Da sind stellvertretende Bezirksstaatsanwalt und die meisten von den Betreuern bei der staatlichen Kinderschutzbehörde – vielleicht alle mit Ausnahme von Alice, die übertreibt es ein bisschen mit ihrem Papst, wenn du mich fragst. Jene von uns, die sich tatsächlich für die Sache der Kinder einsetzen, erkennen einander überall; wir treffen uns in Cafés und Restaurants, wir organisieren Chats im Internet, und wir haben Lesezirkel, in denen die Nachricht von deiner Ankunft sich verbreitet hat wie ein Lauffeuer. Man kennt dich als das Mädchen mit den vielen Namen. Man kennt dich als die Kraft der vorhimmlischen Inkarnation. In den meisten Religionen gibt es einen Erlöser, der die Seelen aus der Gefangenschaft befreit, und einen Rächer, der die Sünder zerschmettert, und ich brauche dir wohl nicht zu sagen, welches von diesen beiden Geschöpfen jetzt hier neben mir sitzt, gerade im Begriff, sein Nachtgebet zu sprechen; diejenige, die die Menschen unserer Welt zu einer Gemeinschaft des Glaubens einen wird.«

Es war das gewesen, was Erwachsene einen »langen Tag« nannten, einer, der von einem Extrem der Erfahrung zum anderen gereicht hatte, wie eine dieser Bogenlinien auf einem Globus, die immer weiterlaufen, bis sie wieder an ihrem Anfang anlangen. So viel Raum, in dem man sich verlieren kann, dachte

Sal. Kein Wunder, dass ich durstig bin und ein Glas Wasser brauche.

»Zuerst dein Gebet, Stephanie«, sagte Mr. Peterson nur. »Sprich dein Gebet wie ein braves kleines Mädchen, und danach hole ich dir das Wasser.«

Mr. Peterson ging auf die Knie und stützte sich mit den Ellenbogen auf die Kante von Sals hartem Bett. Sal saß aufrecht, von ihren Kissen gestützt, und betrachtete den kahlen Fleck an seinem Hinterkopf. Er war übersät mit dicken Sommersprossen wie Tintenklecksen. Wie eine Sternkarte, die das Universum im Augenblick seines Entstehens zeigte, auseinanderstrebende Muster wirbelnder Elementarteilchen.

»So gebe ich mich denn in die Arme der Welt«, sagte Mr. Peterson.

Sal dachte noch einen Moment über den Fleck an Mr. Petersons Hinterkopf nach. Dann sagte sie leise: »Ich schlafe in den Armen der Welt.«

»Und suche Erlösung in den Augen all derer, die ich zurückgelassen habe.«

»Aller, die ich zurückgelassen habe.«

»Ich werde triumphieren in der Nacht.«

»Triumphieren in der Nacht.«

»Und finde meinen Weg zurück zu dem Planeten, der mich verstoßen hat.«

»Wo ich früher gewesen bin.«

»Ich überquere Berge und Meere als körperloses Wesen.«

»Berge und Meere.«

»Und reinige die Erde von den Geschöpfen des Bösen in einem Sturm aus Feuer.«

»Zerstöre sie und sie sind mein.«

Mr. Peterson ruckelte mit seinen Ellenbogen auf der Matratze ein Stück näher zu ihr. Mit seiner fleckigen Hand fuhr er sich über den kahlen Fleck wie eine kleine Sonnenfinsternis, dann verschwand die Hand in der dunklen Tiefe seines Körpers.

»Ich segne die, welche mich errettet haben. Ich werde mich ihrer entsinnen und werde ihnen Kraft geben. Ich werde denen, welche blind sind, die Augen öffnen. Ich werde in ihre Städte kommen und sie zu den meinen machen.«

Sal dachte an Wasser. Sie hoffte, dass sie es in einem großen, klaren Glas bekam. Wasser schmeckte nicht aus einem Kunststoffgefäß, schon gar nicht aus einem, das schon tausend Fingernägel zerkratzt hatten.

»Dann sollte ich jetzt deren Namen sagen? Ist das jetzt an der Reihe?«

Mr. Peterson hielt weiter seine Stirn auf die Matratze gedrückt. Er hatte ihr alles an Hilfe gegeben, was er geben konnte.

Sal seufzte. Näher kam sie dem Weinen nie.

»Dann segne ich Daddy, der mich fand und mit sich fort nahm.«

»Gott segne den Vater.«

»Und Mommy, die mir Dinge beigebracht hat, die mir besser im Gedächtnis geblieben sind als sie selbst.«

»Und die unsterbliche Erdmutter.«

»Und ich segne junge Leute in neuen Häusern und alle in Waschsalons und den Unglücklichen, der mich nie kennengelernt hat, und alle, die mich vorübergehen sahen.«

»Und all die unglücklichen Menschen, wie sie diese Erde verlassen.«

Lange kann das nicht mehr weitergehen, tröstete Sal sich. Mir fällt bald nichts mehr ein.

»Und zum Schluss segne ich Tim und Großmutter wegen all der Dinge, die ich über sie gesagt habe und die vielleicht gestimmt haben und vielleicht auch nicht. Und Sie, Mr. Peterson. Und Mrs. Mayhew. Ich hoffe, Sie finden beide im Leben genauso viel Glück, wie ich gefunden habe, obwohl das nicht sehr wahrscheinlich ist. Denn Glück ist nicht das, was Sie sind oder was Sie besitzen, Mr. Peterson. Glück, das sind die Menschen, die Sie hinter sich lassen.«

★★★

Mr. Peterson schnarchte, als Sal die Laken zurückschlug und vorsichtig ihre Beine zwischen den klammernden Händen und dem sanft und blau pulsierenden Hals zurückzog. Der lange Flor des beigefarbenen Teppichs dämpfte ihre Schritte. Sie ging zur Tür und schaute in den Flur.

Zum ersten Mal ging Sal auf, dass andere Kinder dort draußen wohnten, heimlich lebten sie da wie Mäuse in der Wand. Kinder hinter anderen Türen, die in anderen Betten schliefen. Kinder, die ihre Mommys und Daddys nicht mehr fanden oder die man ihren Mommys und Daddys fortgenommen hatte oder die nicht mehr zu ihren Mommys und Daddys zurückwollten, wegen fragwürdiger körperlicher Beziehungen oder tadelnswerter Kind-Erzieher-Verhaltensmuster. Manche dieser Kinder hatten gelernt, es sich nachts im Bett kuschelig zu machen. Sie fanden Trost bei Püppchen, Plastiksauriern, Lieblingskissen oder weichen Decken. Andere starrten Bilder von multikulturellen religiösen Führern an den Wänden an, bis ihnen die Augen zufielen, oder klassische Musik von tragbaren CD-Playern lullte sie ein. Keines von ihnen kannte Sals Namen oder wusste von all dem, was Sal gesehen hatte. Mit denen war nicht viel anzufangen. Es geschah ihnen ganz recht, wenn sie allein in ihren Zimmern lagen.

»Sie bringt uns Liebe und weist uns den Weg«, flüsterte die Stimme eines kleinen Jungen hinter seiner Tür. »Wenn wir brav sind, nimmt sie uns mit. Wenn wir böse sind, bleibt sie vielleicht für immer hier.«

Sal schritt barfuß über den Teppich. Im zentralen Wohnbereich (wie Mr. Peterson ihn nannte) standen nagelneue würfelförmige Möbel, unbenutzt und erwartungsvoll. Kantig und bedeutsam, dachte Sal. Die Art von Möbeln, die dafür sorgt, dass es einem nicht zu bequem wird.

Sie fand Schwester Alice im Lagerraum, wo sie weiße Kittelchen und cremefarbene Baumwollkleider bügelte und etwas summte, was Sal auch schon im Radio gehört hatte.

»Und sie liebt mich, wenn sie kommt«, flüsterte

Schwester Alice. »Da bin ich von ihr besonnt. Und sie liebt mich, wenn sie kommt. Da wird sie von mir besonnt.« Schwester Alice lächelte glücklich. Sie blickte nicht auf.

»Was kann ich für Sie tun, Miss Stephanie? Kommen Sie, um Ihre zeitlose Weisheit mit Schwester Alice zu teilen? Oder vielleicht wollen Sie, dass ich Ihnen ein Käsesandwich mache, oder ein Pop Tart mit Erdbeergeschmack als Mitternachtsimbiss?« Selbst während sie sprach, ging von Schwester Alice weiterhin jenes summende Geräusch aus. Es war wie ein sanftes unterirdisches Flüstern. Ein leiser Wechsel der Absicht in der Nacht.

Irgendwie mochte Sal Schwester Alice. Aber das hieß nicht, dass sie ihr etwas erzählen würde, was sie nicht erzählen musste.

»Nein«, sagte Sal, »keine Sandwiches und keine Pop Tarts. Ich dachte nur, ich komme und hole mir mein altes rosa Kleid, das, das ich früher immer anhatte. Mr. Peterson sagt, das kann ich ruhig machen. Er sagt, nichts soll mehr vor mir geheim gehalten werden.«

Die Liebe von Daddy

Als Sal hinaus auf den großen, frisch markierten Parkplatz trat, fand sie Daddy am Steuer seines weißen VW-Busses sitzen, wo er ein Kreuzworträtsel löste und farblosen Kaugummi kaute. Schon ulkig, wie so was geht, dachte Sal. Man malt sich aus, dass Sachen geschehen, und dann geschehen sie.

»So schwer war das ja nicht, dich zu finden«, sagte Daddy und steckte sein Kreuzworträtsel zusammengefaltet in eine metallene Ablagebox in der Tür, die wie die Kammern im Inneren einer Nautilus-Schnecke aussah. Dann lehnte er sich an die ergonomische Rückenstütze aus braunen Perlen und startete den krächzenden Motor mit seinem klimpernden Bund aus Schlüsseln und Plastikglücksbringern. Der Motor heulte auf, heulte noch einmal und kam dann, nach kurzem Stottern, in Gang und donnerte in einer Wolke aus Öldunst und Abgasen los. Langsam navigierte Daddy den Wagen durch die dunklen Straßen, wie ein mechanischer Ochse, der langsam erwachte, begleitet vom schnalzenden Echo der Leitplanken, auf dem Weg zurück in eine Vergangenheit, die nun endlich wieder Sal gehörte.

»Ich konnte keine Tüte Milch kaufen und keine Zeitung aufschlagen, ohne dass ich dein Bild oder deine Beschreibung sah. Da saß ich, aß mein Sandwich und starrte dein Bild in den Fernsehnachrichten oder Suchsendungen an. Eine Weile warst du heißer als Toastbrot, da hast du mehr Sendeminuten bekommen als J Lo. Anfangs fand ich, ich sollte dir nicht mehr zur Last fallen; sollte dich dein neues Leben als Stephanie oder Sally oder wie du dich gerade nanntest, leben lassen und dir aus dem Weg gehen. Vielleicht hatte ich schon genug Schaden angerichtet. Vielleicht wolltest du mich überhaupt nicht mehr sehen oder hattest vergessen, wie viel wir einander bedeuteten. Aber dann wurden die Geschichten immer abstruser. Geheimnisvolles Mädchen von Kinderschänderring in Krankenhaus gebracht. Waisenmädchen erwacht aus dem Koma und sagt gegen Kinderschändersekte aus. Angeblich hatten die Gestalten, die dich im Krankenhaus abgeliefert hatten, Kontakte zur Mafia, zur staatlichen Erziehungsbehörde und zu diversen Kindergärten und Grundschulen der Gegend, deren Namen aus juristischen Gründen nicht genannt werden durften. Eine Untergrundorganisation, die Kinder an Drogenbosse verkaufte, an satanische Todeskulte und eine Gruppe verstoßener katholischer Priester, die mit dem Papst im Bunde war. Und wenn katholische Priester und Kinder hierzulande in den Medien in einem Atemzug genannt werden, Sal, dann mach dich auf was gefasst. Immer hieß es Stephanie Hardwick, möglicherweise aus Kalifornien, kann jemand dieses Mädchen identifizieren, und ich dachte mir, das ist doch meine kleine Sal, die in diesem ganzen Rummel ihren echten Namen lieber für sich behält, und wer würde ihr das verdenken? Schließlich bist du ein Mädchen, das schon immer ein Geheimnis für sich bewahren konnte. Da fiel mir wieder ein, wie leichtsinnig ich dich dieser grässlichen alten Mrs. Wie-hieß-sie-gleich überlassen habe, der alten Hexe in der Bungalowanlage, du weißt schon. Du kannst dir gar nicht vorstellen, was ich mir da für Vorwürfe gemacht habe, Sal. Immer wieder ging mir durch den Kopf, wie ich dir versprochen hatte, dass ich ein perfekter Daddy sein würde, und wie lange hat es gehalten? Drei Wochen, vielleicht vier. Ich war dir einen zweiten Versuch schuldig. Oder vielleicht war ich ihn auch mir selber schuldig – wer kann das schon sagen?«

Der Bus roch anders, dachte Sal, und Daddy auch. Als wären die Dimensionen dieses vollgepackten Raumes auseinandergenommen und dann mit ein paar kleinen Bestandteilen weniger wieder zusammengesetzt worden. Etwas stimmte nicht. Aber Sal kam nicht darauf, was es war.

»Ich habe ihnen gesagt, dass du wiederkommst«, sagte Sal nach einer Weile. Sie hatte sich bereits mit dem vertrauten grauen Sicherheitsgurt auf dem durchgesessenen Beifahrersitz festgeschnallt; sie betrachtete ein Loch im Armaturenbrett, wo früher der Zigarettenanzünder gesteckt hatte. »Sie haben gesagt, sie suchen nach dir, und ich soll ihnen alles sagen, deine Führerscheinnummer und die Nummer deiner Sozialversicherung oder sonst irgendwelche Nummern, die du in deiner Brieftasche hast. Aber ich habe ihnen nichts gesagt, weil ich ja wusste, dass du mich findest. Ich musste nur Geduld haben. Auf lange Sicht würde alles besser werden. Am Ende würdest du mich finden und mit nach Hause nehmen.«

★★★

Er war nicht mehr derselbe Daddy; er versuchte zu tun, als sei er derselbe Daddy, aber Sal konnte er damit nicht täuschen. Zunächst einmal hatte er mit dem Rauchen aufgehört und kaute große graue Batzen Nicorette-Kaugummi, die er in makellosen gläsernen Motelaschenbechern liegen ließ wie irgendwelche erst halb geformte Urmasse. Er trank keinen V8-Saft mehr, trödelte morgens nicht mehr endlos im Badezimmer und schickte Sal nicht mehr auf ihr Zimmer, um dort allein zu spielen. Selbst Jeans und zerschlissene Turnschuhe trug er nicht mehr – nur Breitcordhosen und hohe Arbeitsstiefel mit Schnürsenkeln aus Leder.

»Wir wollten beide nicht, dass du dich mit der Fürsorge einlässt«, sagte Daddy ein paar Tage später, als sie in seinem unmöblierten Haus im Ranchstil mit Doppelgarage ankamen, in einem Flachland im Stil der Fünfzigerjahre mit unzähligen weiteren familienfreundlichen Ranchhäusern mit Doppelgarage. »Aber jetzt, wo sie uns auf ihrem Kindesmissbrauchs-Radar haben, müssen wir auf der Hut sein. Das Haus hat einen anständigen Garten, und wenn das Wetter besser wird, kann ich vielleicht einen Spielplatz bauen oder eine Schaukel und eine Rutsche. Ich kümmere mich um den Einkauf und mache alle Besorgungen, die gemacht werden müssen, und du bleibst zu Hause und hältst die Stellung. Wir dürfen kein Risiko eingehen. Da muss nur eine von diesen Überwachungskameras vor einem Laden dich aufnehmen, und schon sind wir geliefert. Ich werde kastriert und lobotomisiert und klopfe von nun an Steine mit Pater Junipero Serra und der ganzen Bande. Und wenn ich auch nur auf den *Gedanken* komme, einem Kind Guten Tag zu sagen, ein Mädchen zu fragen, wie es heißt, wenn ich auch nur den Anflug einer väterlichen Regung spüre, dann kotze ich Schleim wie dieser arme Teufel in *Uhrwerk Orange*.« Daddy bog in eine breite, ölfleckige Einfahrt ein, wie einer von Mrs. Mayhews Tintenklecksen. Das Beste an Tintenklecksen, dachte Sal, war, dass sie immer genau das bedeuteten, was man wollte.

(Ich sehe einen Mann in einer Höhle, hatte Sal Mrs. Mayhew erzählt. Er hat kein Geld und keine Freunde. Er denkt sich, dass er genauso gut in der Höhle bleiben kann. Er ist nicht glücklich, aber ihm fällt auch kein anderer Ort ein, an dem er lieber wäre.)

Daddy machte die Klappe des Busses auf und lud zwei Pappkartons mit feuchtem, moosüberzogenem Holz und Kienspänen aus. Dann begleitete er Sal durch einen Durchgang, in dem durchweichte, vom Wind dorthin geblasene Zeitungen lagen, und so kamen sie an das Gartentor, das schieläugig an einem zerbrochenen gelben Scharnier hing. Sal konnte durch den krummen Spalt schlüpfen, ohne dass sie das Tor oder das Schloss berühren musste. Sie wusste nicht recht, ob das eine gute Eigenschaft bei Gartentoren war oder eher eine schlechte.

Das Unkraut hier hinten war größer als Sal, dornenstarrend und grotesk geschwungen wie Miniaturungeheuer. Dazwischen waren kleine, abrupt endende Pfade getrampelt, Haufen von Fliesen und Betonblöcken, die nach Torf und Schnecken rochen, lagen in seltsamen Winkeln umher wie Druidensteine. Sie wateten durch diesen bärtigen, stachligen Dschungel und kamen an eine schiefe, aus Backsteinen gemauerte Veranda, wo kleineres, dornigeres Unkraut aus Fugen und Ritzen wuchs und flaumige, zottelige Linien und Kringel zeichnete, wie geheimnisvolle Notizen auf einem Blatt Papier, das Sal auf einem Parkplatz entgegenwehen mochte. Mitten auf der Veranda stand ein zusammengesunkener, auf den Kopf gestellter Pappkarton, der sich auf seinen aufgerissenen Laschen hielt wie ein eben den Fluten entstiegener Oktopus. Dieser Kartontisch war mit zwei grünen Plastiktellern mit Einwegbesteck, zwei taufeuchten Servietten und einer verblühten Rose gedeckt.

»Nicht gerade vornehm, das gebe ich zu. Aber hier kommt keiner hin, und das brauchen wir jetzt. Nicht im Wahlregister, keine Postzustellung, keiner liest Strom oder Wasseruhr ab. Also beißen wir die Zähne zusammen und halten es fürs Erste aus, auch wenn du zunächst nicht zur Schule gehen kannst. Es gibt sicher noch so manches, das ich dir beibringen kann – auch wenn mir gerade nicht einfällt, was das sein könnte. Hier, mach mal das Wohnzimmerfenster auf – du musst fester ziehen, es ist ein wenig eingerostet – und hilf mir die Kisten auspacken. Danach, wenn sie schon auf ist, kannst du den Flur hinuntergehen und dich deiner kleinen Schwester vorstellen. Die ist schon ganz aufgeregt, weil du kommst. Als ich sie das letzte Mal sah, hat sie nur von dir geredet.«

★★★

Sie war wie ein grauer Knäuel Zeitungspapier oder wie etwas aus schmutzigem Gartenlehm. Ihr Geruch stieg von der aufgequollenen Matratze auf dem Fußboden auf, noch bevor sie sich rührte, zusammengekauert in ihrer Kuhle aus feuchten Decken und schmutzigen Stofftieren. Mir machst du nichts vor, dachte Sal, als sie über der Matratze in dem kleinen Schlafzimmer am Ende eines langen Ganges stand. An den Wänden waren Wasserflecken, als wären die Fluten von Daddys erstem Verschwinden auch aus diesem Haus eben erst abgeflossen und hätten alles mit sich genommen außer Daddy.

Sie hatte blondes Haar von der Art, die Sal sich oft an sich selbst vorstellte, mit Löckchen, ein leichter Kupferton, zu fettigen Knoten zerzaust und besprenkelt mit einer Substanz, die wie Kaugummi oder geschmolzenes Wachs wirkte. Ihre Kuscheltiere waren von genau der Art, die Sal nicht ausstehen konnte. Teddybären und weiße Seehundbabys und Giraffen; graue Wolle kam an den Stellen heraus, an denen einmal die Gliedmaßen gewesen waren. Ihre Ohren waren dermaßen abgekaut, dass sie wie weiches, termitenzerfressenes Holz aussahen, und viele von den Knöpfen, die Augen und Nasenlöcher markierten, waren nicht mehr da, was ihnen einen unpassend überraschten, nachdenklichen oder verzweifelten Ausdruck gab. Ohne Stolz oder Nachsicht lagen sie rings um die kleine Schwester, wie die letzten Reste einer geschlagenen Armee.

»Er behauptet, du bist meine Schwester«, sagte Sal zu dem kleinen Mädchen, das sich nicht regte und den Kopf nicht bewegte und nicht die kleinste Willensäußerung oder Furcht zeigte. »Aber in Wirklichkeit bist du nicht meine Schwester, da gewöhn dich mal dran. Was zählt, ist, dass ich älter bin als du, also stelle ich die Regeln auf; und meine Regeln sind einfach. Ich rede nicht gern, und ich höre nicht gern zu. Und Daddy ist *mein* Daddy, nicht deiner, obwohl du meinetwegen ruhig mit ihm reden kannst oder mit ihm spielen, denn ich bin nicht besitzergreifend. Ich habe es nur gern eindeutig, gerade wenn Grenzen gezogen werden. Mit anderen Worten, komm gar nicht erst auf den *Gedanken*, dich auf meinen Platz im Bus zu setzen oder Saft aus meinem Glas zu trinken oder Essen von meinem Teller zu essen. Ich will nicht, dass Bazillen oder Hautschuppen von anderen Leuten in mein Essen kommen, aber sonst kann man ziemlich leicht mit mir auskommen. Meine Überzeugung heißt: leben und leben lassen. Ich glaube an die goldene Regel.«

Das kleine Mädchen war so reglos und reagierte so wenig, dass sie ihr ganz unecht vorkam. Wahrscheinlich ist sie nicht besonders helle, dachte Sal. Ich könnte ihr noch das eine oder andere beibringen.

»Wie kommt ihr zurecht, ihr beiden?«, rief Daddy aus dem anderen Zimmer. Er machte eine Reihe von lauten, abrupten Geräuschen, als kicke er einen leeren Pappkarton von einem Ende des Hauses zum anderen. »Wenn ihr Hunger habt, lasse ich Pizza kommen. Was wollt ihr auf eurer Pizza haben? Peperoni oder nur Käse?«

Sal drehte sich um und betrachtete die Tür, die verzogen war und an den Angeln schimmelte. Erst jetzt fiel ihr auf, wie feucht es hier roch.

»Nur Käse, Daddy«, sagte sie.

Als sie wieder nach unten auf die Matratze sah, lag die kleine Schwester auf dem Rücken in ihrem Bettzeugnest und starrte Sal mit weit aufgerissenen Augen aus einem verrückten Winkel an; es sah aus, als hätte sie das Genick gebrochen.

»Was ist mit deiner kleinen Schwester, Sal? Was hätte die gern auf ihrer Pizza?«

Aber Leute gewöhnen sich an alles, sagte Sal sich zum Trost. Gerade wenn sie noch klein sind.

Sie roch die Pizza schon.

»Sie nimmt auch gern nur Käse«, sagte Sal, diesmal freundlicher. »Sie sagt, was für mich okay ist, ist für sie auch okay.«

★★★

Sie war nicht wie eine kleine Schwester; sie war eher wie der Nachhall von Sals Stimme aus den tiefsten Schichten von Sal. Sie war, als grabe man einen Tunnel aus Worten bis zu einem Ort, wo Worte nichts bedeuteten.

»Das Leben ist kaum mehr als eine Reihe von Gelegenheiten, etwas aus sich zu machen«, erklärte Sal. Sie saßen auf umgedrehten blauen Plastik-Milchkisten an dem Kartontisch auf der Veranda hinter dem Haus und taten, als tränken sie Tee aus Pappbechern. Die Sonne stand hoch am dunstigen Himmel, dicht und massiv. Auf der ganzen Welt schien es keinen anderen lebendigen Menschen zu geben. »Und entweder kannst du diese Gelegenheiten ergreifen, oder du lässt sie verstreichen. Neue Erfahrungen zum Beispiel. Oder neue Leute. Aus allem, was dir in diesem Leben widerfährt, und von jedem, der dir begegnet, lernst du etwas, und dann machst du von dem, was du lernst, Gebrauch und verschaffst dir einen besseren Begriff davon, wer du bist und was du willst. Manchmal bleibst du eine Zeitlang bei Leuten, oder sie bleiben bei dir. Ihr arbeitet zusammen wie ein einziges Individuum, und das nennt man Familie, oder ein Geschäftsunternehmen, eine

Firma, besonders wenn sie Aktien verkauft oder Krankenversicherungen, solche Sachen. Aber die meiste Zeit, und das ist die traurigste Tatsache des Lebens, die ich kenne, kommen wir bei unserer persönlichen Reise nur auf Kosten anderer voran. Wenn sie uns im Wege stehen, müssen wir an ihnen vorübergehen und so tun, als hätten wir sie nicht gesehen. Und wenn wir ihnen im Wege stehen, müssen sie das Gleiche mit uns machen. Das ist keine Grausamkeit, wenn wir so etwas tun. Das ist Evolution. So kommen die Menschen in Raum und Zeit voran.«

Sals kleine Schwester sah nicht einmal aus wie Sal, das war das Merkwürdige daran. Sie sah nicht aus wie Daddy oder wie Mrs. Mayhew oder wie sonst jemand von den Leuten, denen Kinder normalerweise ähnlich sahen; genau genommen sah sie nicht einmal wie sie selbst aus, denn sie sah jeden Tag anders aus. An manchen Tagen war ihr Haar dunkel mit einem rötlichen Schimmer, an anderen war es rötlich mit einem dunklen Schimmer oder schmutzigblond oder sogar an manchen Stellen grau, gerade wenn sie es eben mit rostigem Wasser unter dem Küchenhahn gewaschen hatte. Ihre Augen waren farblos und leer, mit nichts als sich selbst beschäftigt. In den Teetassen war nicht einmal Tee, nur schmutziges Wasser aus der Regenrinne. Sie passten nicht einmal zusammen.

»Zum Beispiel«, fuhr Sal fort, denn sie wollte das kleine Mädchen nicht aufgeben, so wie Daddy seinerzeit sie aufgegeben hatte, »wenn du zur Welt kommst, dann hast du eine Mommy und einen

Daddy, und die lieben dich beide sehr oder tun jedenfalls so. Sie geben dir zu essen, sie unterrichten dich, du bekommst Kleider und Spielzeug, bis du alt genug zum Weggehen bist. Und dann *gehst* du weg, aber die Erinnerung an sie trägst du immer bei dir, selbst wenn du das gar nicht weißt. Du merkst, dass du Sachen sagst, die du bei ihnen gehört hast. Du machst ihre Handbewegungen nach. Und schließlich, auf eine merkwürdige Art, die du selbst kaum merkst, *wirst* du wie sie, in einer Folge von beiläufigen kleinen Handlungen, so als ob die Eltern aus *deinem* Körper hervorkämen und nicht andersherum. Auch wenn du älter wirst, kannst du sie nicht hinter dir lassen, sosehr du das auch versuchst. Selbst wenn du schon vergessen hast, wie sie aussehen, sind sie immer noch bei dir. Als ob man Perlen an einer Schnur auffädelt, so kleine Verhaltensmuster, die dir immer wieder an dir auffallen, wie die Idee, die mir mal kam, über den Staub auf dem Mond. Der Mond zieht nämlich kleine Staubpartikel an, die aus allen Ecken des Universums dorthin wehen. Verstehst du, alles, was nicht irgendwo anders seinen Platz hat. Irgendwie endet das alles auf dem Mond.«

Die Worte, die in Sal jetzt aufstiegen, waren Ströme von Gedanken und Bedeutung, die insgeheim schon seit dem Tag, an dem sie gelernt hatte, Menschen hinter sich zu lassen, durch Sals Körper flossen. Sprachpartikel, die sich gleichmäßig und intakt anfühlten, quollen aus dem klumpigen Übermaß von Sal hervor, stetes und sich doch immer weiter entwickelndes Wissen, so beständig wie Regen oder die Muster einer Landschaft. Sal saß am Tisch und sah ihrer kleinen Schwester zu, die tat, als gieße sie unechten Tee aus einer schimmligen Halbliterflasche Milch in ihre schmutzigen Teetassen. Man konnte denken, sie tue, als höre sie gar nicht, was Sal sagte. Oder vielleicht brauchte sie nur eine Weile, bis sie begriff.

»Möchtest du Zucker in deinem Tee?«, fragte das kleine Mädchen. Es war, als bewege sich das Verschmierte, Verzottelte ihrer Züge in ihrem Gesicht, wie die Rührmaschine in einem großen Kessel in einer Schokoladenfabrik oder wie der rotäugige Sturm des Jupiter. Gegenstandslosigkeit war ihr beständigster Zug. Und es war mit Sicherheit das Einzige an ihr, woran Sal ein gewisses Maß an Gefallen fand.

»Nein, danke«, sagte Sal nur. »Ich nehme nie Zucker in meinem Tee. Zucker ist für Kinder, die nie dahinterkommen, was tatsächlich gespielt wird.«

★★★

»Früher war ich ganz ähnlich wie du«, erzählte Sal, als sie am Abend die kleine Schwester in ihr Knäuel aus Bettzeug packte. Jedes Mal wenn Daddy auf der Suche nach Sachen, die er dann in seinem Lieferwagen mitbrachte, unterwegs war, machte Sal Abendessen – abgepacktes Frühstücksfleisch, geschnittenes Weißbrot, rostrote Äpfel – und übernahm die Aufgabe des Zubettbringens. »Ich hatte noch keine Form, keine Entschlossenheit gefunden. Ich wusste nicht, was ich vom Leben wollte oder was das Leben von mir wollte. Ich lag einfach nur umher wie ein lebloses Ding, ließ mich von einem warmen Fleck zum nächsten tragen, lutschte an allem, was ich in die Hände bekam. Fingern, Brustwarzen, weichen Plastikringen, Bleistiften, einfach allem. Ich hatte ungefähr so viel Ehrgeiz wie ein Stofftier und blieb immer einfach da, wo ich zufällig hinkam. Dann wurde ich geschickter und lernte, wie man Sachen festhält; ich drehte mich, ich krabbelte; ich schaffte Dinge, die vorher anscheinend unmöglich für mich gewesen waren. Ich breitete meine Gedanken in andere Räume und Dimensionen aus, bis ich mich schließlich darin verlor. Ein fremder Garten oder eine Hausauffahrt. Ein unbekannter Gang in einem großen Supermarkt. Riesige Flächen aus Rasen und Erdboden und die seltsamen Bereiche, die zwischen Gebäuden entstehen. Bestimmte Menschen wohnten in dem einen Gebäude, andere in dem anderen, und als ich diese Grundtatsache erst einmal verstanden hatte, stieg ich zu ganz anderen Begriffen der Entfernung auf. Dem Raum zwischen den Planeten zum Beispiel. Oder dem in meinem eigenen Kopf. Jetzt konnte ich erkennen, was diese Räume waren. Die Regionen, in denen der Sinn entsteht. Die einzigen Orte, an denen zu sein sich lohnte.«

Die kleine Schwester hatte eine Art zuzuhören, ohne dass sie aufmerksam war; sie zog sich in ihre Gestaltlosigkeit zurück wie eine Amphibie in den

Schlick. Der, der sich die Sache mit der Evolution ausgedacht hat, dachte Sal, hat dieses Kind hier nicht gekannt.

»Früher habe ich mir Sachen vorgestellt«, sagte die kleine Schwester und schloss ganz langsam die Augen. »Leute, die mit mir spielten. Leute, die in anderen Häusern wohnten, Leute mit anderen Namen. Aber jetzt kann ich mir niemanden mehr vorstellen außer Daddy.«

Manchmal war Daddy tagelang fort, ließ ein paar Konserven und eine Flasche abgestandenes Wasser in der Küche zurück sowie für Sal ein Gefühl der Wichtigkeit, das sie nie zuvor gekannt hatte. Sie konnte innerhalb einer begrenzten Anzahl an Wahlmöglichkeiten überallhin gehen, wohin sie wollte, und nirgends wartete jemand auf sie, der ihr sagte, was sie tun sollte. Viele der Räume und Schränke waren von Spinnen in jeder nur erdenklichen Größe und Gestalt bewohnt; sie spannen ihre geometrischen Netze, als wollten sie Handel damit treiben, fingen schwarze Insektenklumpen darin, die weiterzappelten, bis ihr Schicksal sie ereilte. In anderen Zimmern stapelten sich zerbrochene Möbel oder Zement- und Torfsäcke. Aber die besten Orte von allen waren die, an die außer Sal nie jemand kam, zum Beispiel das Labyrinth aus Holzkisten auf dem Dachboden, wo die Ratten huschten, oder der riesige überflutete Keller, in den Sal manchmal hinabstieg, um mit einem Plastiklöffel das trübe Wasser zu kosten.

Meist wartete sie, bis die kleine Schwester fest eingeschlafen war, dann öffnete sie die verquollene Holztür. Sie wusste nicht so recht, wen sie dort unten nicht stören wollte: den Schaum auf dem Wasser, den Geruch ihres eigenen Körpers, den die Wände mit ihren rohen Balken und die Decke mit dem bröckelnden Putz zurückwarfen. Beinahe war es, als sei die einzige Person, die sie hier unten stören konnte, sie selbst.

»Nie zuvor habe ich den Klang meiner eigenen Stimme mit solcher Klarheit vernommen«, flüsterte Sal, wenn sie sich dem überfluteten Betonboden und den aus dem Dunkel auftauchenden Umrissen des halb umgekippten Heizkessels näherte, des Rasentraktors mit den platten Reifen, der vor sich hinschimmelnden Sessel, deren buntes Blumenmuster blühte wie Pollen oder Seegras. »Wenn kein anderer da ist, klingt meine Stimme so. Dann sage ich Sätze wie diesen. Und wenn ich mir die Hand vor den Mund halte, dann klinge ich so.« Sal hockte sich dann auf die unterste Stufe, besah sich den ummauerten Sumpf des Kellers mit dem einen vergitterten Fenster und dem modrigen Vorhang, durch den ein schwacher Mondglanz fiel, ohne etwas zu erhellen, und dachte daran, wie die Geschichte ihres Lebens entschwand. All die Dinge, die geschehen waren, bevor sie Worte gefunden hatte, sie zu beschreiben. Die Leute, die ihr begegnet waren, bevor sie jemandem sagen konnte, was sie sagten. »Wäre Daddy nicht gewesen, dann hätte ich alles verloren«, flüsterte sie. »Dann wüsste ich nicht, woher ich komme oder wo ich gewesen bin. Dann könnte ich mich nicht einmal an all die freundlichen Menschen erinnern, die mir unterwegs begegnet sind.«

Morgens, manchmal ohne dass sie überhaupt geschlafen hatte, öffnete Sal Dosen mit einem Hammer und einem stumpfen Schraubenzieher und breitete ihren Inhalt auf frischen weißen Papptellern aus, die Daddy in großen Plastiksäcken mitbrachte, ersteigert aus Militärbeständen, erworben bei Haushaltsauflösungen oder in Läden für Gaststättenbedarf. Schweinefleisch mit Bohnen, gedämpfte Tomaten, Mandarinen in Zuckersirup, Rahmspinat, eingelegte Artischockenherzen, Corned Beef und Pressschinken. »Das Wichtigste, was du dir merken musst«, ermahnte Sal das kleine Mädchen bei jeder Mahlzeit, »ist, dass du abwechslungsreiche Kost brauchst; hüte dich vor zu viel Zucker und Konservierungsstoffen und iss so ballaststoffreich wie nur möglich. Sonst entwickelst du hyperaktive Verhaltensstörungen oder Krankheiten wie Darmkrebs und verlierst Haare und kriegst Pickel und etwas namens Skorbut, das normalerweise nur Seeleute bekommen.«

Wenn man mit der kleinen Schwester sprach, dachte Sal, dann war das ganz, als ob man mit sich selbst sprach. Man konnte ihr alles erzählen, und niemand hielt es einem am nächsten Tag vor.

★★★

Wenn es nicht regnete, nahm Sal ihre kleine Schwester mit auf lange Spaziergänge bis an die äußersten Grenzen ihrer Siedlung. Anscheinend begriff sie nicht das Geringste, wenn Sal es ihr nicht zeigte.

»Unser Viertel«, sagte Sal und hielt dabei die Hand des kleinen Mädchens, als verständigten sie sich durch elektrische Impulse, »ist nicht so hübsch wie dieses hier, aber das ist kein Grund, sich deswegen zu schämen. Sieh dich nur um: schönere Häuser, schönere Autos, schönere Gärten, schönere Blumenbeete, alles schöner. Hier draußen, da pflegen die Leute ihre Besitztümer, nicht wie bei uns, wo alles vor die Hunde geht. Aber du sollst nicht denken, dass ein bestimmtes Viertel besser als ein anderes ist. Im Grunde sind sie alle ziemlich gleich. Leute wohnen in Häusern. Sie gehen zur Arbeit und ziehen Kinder groß. Sie fahren Auto. Sie sehen einander nicht in die Augen. Und wenn du Kind bist, dann ist es nicht so wichtig, ob du in einem hübschen Viertel lebst oder in einem nicht so hübschen oder in einem verrückten Niemandsland irgendwo dazwischen, weil du ja sowieso nie irgendwo alleine hin darfst, immer nur mit deinen Eltern oder mit Leuten, die sie dafür ausgesucht haben. Daddy sagt, das war nicht immer so. Früher konnten Kinder nach Herzenslust umherlaufen. Aber heute leben Kinder so, das steht fest; sie werden auf Schritt und Tritt behütet und bevormundet, sie müssen üben und lernen, bis sie so brav sind wie die Schafe. Nur dass nichts Vernünftiges dabei herauskommt, Wolle etwa oder Lammkoteletts. Sie schlurfen einfach nur weiter, tun, was man von ihnen verlangt, und denken, was sie denken sollen. Niemals überraschen sie einen. Sie sind immer genau wie alle anderen.«

Die kleine Schwester hatte zu nichts Lust, und oft bedrückte sie Sal damit. Im Grunde war das Einzige, was dem kleinen Mädchen an den Spaziergängen gefiel, das Nachhausekommen.

»Ich bin müde«, sagte das kleine Mädchen jedes Mal, wenn Sal ihm gerade etwas Wichtiges erklärt oder ihm eine respekteinflößende Einrichtung aus grauen Mauern gezeigt hatte, die man besser mied, Dinge wie die örtliche Grundschule oder Hamburgerrestaurants. »Ich bin hungrig. Mir gefällt es hier nicht. Ich will nach Hause.« Sie widersetzte sich weniger Sals Energie, als dass sie eine Art spiritueller Reibung erzeugte. Ihr Widerstreben war wie ein Gewicht; es verlangsamte alles, sogar Sal.

»Bewegung ist wichtig«, predigte Sal – an sich selbst ebenso wie an die kleine Schwester gewandt. »Genau wie frische Luft und Sonnenschein. Du kannst nicht den ganzen Tag im Haus hocken und mit deinen Teetassen spielen. Mach die Tür auf, geh nach draußen. Schau dir an, wie es um dich herum aussieht. Keiner erzählt dir, was da draußen ist. Das musst du dir selbst ansehen.«

★★★

Manchmal kamen sie erst lange nach Einbruch der Dunkelheit zurück und fanden Daddy, wie er in seinem Bus schlief, die Hände auf dem schwarzen Steuerrad gefaltet wie zum Gebet. Normalerweise parkte er zwei oder drei Häuser weiter, und wenn die kleine Schwester darauf bestand, dass sie Daddy persönlich zu sehen bekam, packte Sal sie über der Brust wie bei einem Rettungsgriff und hievte sie hoch, damit sie über die Gummikante des Fahrertürfensters sehen konnte.

»Da ist Daddy, er schläft. Er ist nicht tot oder so was. Er muss sich nur ausruhen, bevor er nach Hause kommen und wieder ein guter Daddy sein kann.«

Dann setzte Sal die kleine Schwester wieder ab. Es war, als wollte man einem Sack Zement etwas zeigen.

Daddys blechernes Schnarchen verfolgte sie noch durch die Gasse bis in den verwilderten Garten. Es gelangte sogar in Sals Träume, raue, lang gezogene Töne, begleitet von Bildern von großen, dampfschnaubenden Metallungeheuern auf Rollen. Wenn Daddy in der Nähe war, war das fast genauso, als wenn er nicht da war. Man konnte sich vorstellen, dass er auf einem Luftstrom um die Erde kreiste und dabei Dinge sah, die wie andere Dinge aussahen, Ereignisse erlebte, die nie jemand außer ihm erlebt hatte.

»Manchmal müssen wir Erwachsene einen Schritt zurücktreten und unsere Kinder allein groß werden lassen«, erklärte Daddy ihnen an einem jener seltenen Abende, an denen sie zusammen aßen. Er breitete dann eine Decke auf dem Fußboden aus, und sie taten, als wäre es ein nächtliches Picknick, schubsten gedankenverloren Käfer und Maden weg, die aus dem modrigen Teppich kamen, und reichten Blechdosen mit Fabrikessen weiter. »Vielleicht war es das, was ich dir an dem Tag, an dem wir uns kennenlernten, beibringen wollte, Sal. Dass du dich nicht auf andere verlassen kannst, wenn es um dein Glück geht, nur auf dich selbst. Ich kann mich an diese erste Begegnung noch genau erinnern – du nicht auch? Das war, wie wenn man sich verliebt oder in der Lotterie gewinnt. Ich war bei euch im Keller und habe den Boiler repariert, und du kamst aus dem Garten mit einem Eisstiel im Mund. Eis war keines mehr dran, du kautest nur noch auf dem splittrigen Holz. Du hast dasselbe rosa Kleid und dieselben rosa Schuhe angehabt wie jetzt. Und schon mit deinem ersten Blick war klar, dass du weder mich noch sonst jemanden brauchtest, um die zu sein, die du warst. Du brauchtest deine nutzlosen Eltern nicht, die dir wie Klötze am Bein hingen und dir mit ihrem Hustensaft mit Kirschgeschmack nachrannten oder mit ihren Döschen mit Salbe. Du brauchtest diese bescheuerten Trickfilme im Fernsehen nicht oder die Stofftiere, die überall in deinem Zimmer umherlagen, du brauchtest nicht einmal das Dach über deinem Kopf. Du warst zufrieden mit diesem splittrigen, abgekauten Stück Holz. Ich habe sofort gesehen, wer du warst, auf den ersten Blick. Und im selben Moment war mir klar, dass wir zwei zusammengehörten.«

★★★

Entscheidend war die Zeit, versicherte Sal sich. Alles kam darauf an, dass man es so einrichtete, dass Zeit nicht mehr von Bedeutung war, und man musste sich so viele nutzlose Routinen zulegen wie nur möglich.

»Wir müssen ein Buch schreiben«, erklärte Sal eines Morgens dem kleinen Mädchen bei alten Rosinenbrötchen und Orangensaft. »Und es muss ein gutes Buch sein, sonst liest es kein Mensch. In diesem Buch müssen wir alle vermerken, die ich je berührt oder gesehen habe oder mit denen ich in einem Zimmer gewesen bin – und wenn auch nur ein paar Minuten lang. Nicht unbedingt wichtige Leute; sie müssen nur denkwürdig sein, mit etwas Unverwechselbarem, was sie von allen anderen unterscheidet. Zum Beispiel denke ich oft an Tim und Großmutter und die Einladung zum Abendessen bei ihnen. Oder an die Frau mit den langen blonden Haaren, bei der ich auf einem Sofa neben ihrem Bett schlafen durfte. Ich denke an die Männer in den riesigen Sattelschleppern, die mir an Imbissbuden und Tankstellen zu essen gekauft haben, und an alte Damen, bei denen die Katzen im Bett schliefen, und an einen großen, fetten Mann mit Mundgeruch, der mich nicht ins Haus ließ, weil er Angst vor Einbrechern hatte, und bei dem ich in der Garage auf einem Feldbett schlafen musste. Eine richtig schöne Garage übrigens. Groß und kühl, voller Kisten mit interessanten Sachen. Das Buch sollte nicht nur von den Leuten handeln, es sollte auch von den Dingen handeln, die zu ihnen gehören, denn die sind oft das Interessanteste an ihnen. Ihr Schmuck zum Beispiel oder ihre Möbel oder die gerahmten Fotografien auf ihrer Anrichte oder ihr Auto oder die Räume und Schränke in ihrem Haus. Die meisten Menschen existieren ja nur durch die Dinge, die sie besitzen; frag mich nicht warum, das ist einfach so. Fast als ob die Dinge *sie* besäßen und nicht umgekehrt.«

Das Beste an der kleinen Schwester, dachte Sal oft, war, dass sie nie auf die Welt achtete, und das machte sie zur perfekten Partnerin. Wenn Sal redete, hörte sie zu. Wenn Sal sich bewegte oder gestikulierte, folgte sie ihr mit den Augen. Wenn Sal neben ihr saß, wurde sie ruhiger, wie ein Computer auf Stand-by. Wenn Sal allerdings den Raum verließ, gerieten all ihre Gliedmaßen in heftige, rastlose Bewegung; sie zappelte, summte laut, ließ sich jedoch keinerlei Furcht oder Bedrängnis anmerken. Sie war nie glücklich und nie unglücklich. Sie war einfach nur bei Sal oder nicht bei Sal, und ihr Körper erstreckte sich zwischen diesen beiden Extremen der Existenz wie ein Kaninchenfell, das auf einem hölzernen Rahmen in der Sonne trocknet. Sie hatte nichts zu bieten außer der reflektierenden Oberfläche ihrer selbst. Und für Sal war das genug.

»Eines Tages werden sie dich fragen, woran du dich von mir erinnerst«, versicherte Sal der kleinen Schwester an einem Abend, an dem sie vor dem Wohnzimmerfenster saßen und hinaus in den verwilderten Garten schauten, so wie die meisten Familien ihren Fernsehschirm anstarrten. Sal gab ihr aus ihrer großen Plastiktüte mit scharf gewürzten Trockenfleischstreifen ab, und sie tranken aus litergroßen Plastikflaschen, die sie am Nachmittag gefüllt hatten, als ein Nachbar an seinem Gartenhahn nicht aufpasste. »Was für ein Mensch ich war, wie ich mich benommen habe, wo ich überall gewesen bin. Ich weiß nicht, warum sie das wissen wollen; aber so sind die Leute eben. Sie müssen sich für jemanden interessieren, der nicht sie ist, sonst kommen sie überhaupt nicht aus dem Bett. Wenn du es geschickt machst und alles im Kopf behältst, was ich dir sage, dann bist du die einzige Person auf der Welt, die ihnen helfen kann, mich zu verstehen – wo ich überall gewesen bin, was ich alles gelernt habe. Da gab's zum Beispiel mal ein Haus, ich weiß nicht mehr, wo es war und wer darin wohnte und was sie mir zum Frühstück gegeben haben. Aber im Keller hatten sie eine riesige Pappkiste, größer als du und ich zusammen. Und wenn keiner hinsah, konnte ich in diese Kiste kriechen und die Laschen hinter mir zumachen, und dann roch ich nichts außer mich selbst und vergaß alles andere um mich her, als sei die ganze Welt draußen gar nicht mehr da. Da war nur Sal in der Kiste und sonst keiner. Und wenn du dir die Geschichte merkst und den Leuten erzählst, die nach mir fragen, dann bist du der einzige Mensch auf der ganzen Welt, der diesen einen Augenblick meines Lebens genauso gut kennt wie ich. Du kannst mich am Leben halten, sogar wenn ich schon tot bin, und das ist mir in letzter Zeit ein großer Trost. Denn wenn alles so wird, wie ich es mir vorstelle, wenn meine Reisen an ihr Ende gekommen sind, dann werde ich wahrscheinlich ein sehr kurzes und ereignisloses Leben haben. Was übrigens nicht heißen soll, dass ich mir das wünsche. Aber wenn jemand erst mal in meinem Alter ist, dann kann er die Kurven zählen, die auf seiner Straße noch kommen.«

★★★

Das Knifflige am Bücherschreiben war, wie Sal schnell merkte, dass man das Geheimnis seines Ichs nur zum Ausdruck bringen konnte, wenn keiner zuhörte. Und das war leichter gesagt als getan.

»Kleine Mädchen? Hallo. Ich weiß, dass ihr da drin seid. Würdet ihr mich bitte reinlassen? Ich heiße Mr. Stillworth, und ich komme von der staatlichen Kinderfürsorge. Ich will nur mit euch oder mit eurem Daddy ein paar Worte sprechen. Ich verspreche euch, ich bin gleich wieder weg. Ich muss mich nur vergewissern, dass ihr nicht vernachlässigt werdet und dass eure Grundversorgung gewährleistet ist. In unseren Unterlagen sind an dieser Adresse keine zwei kleinen Mädchen gemeldet, und wir wüssten nur gerne, wo ihr herkommt und ob ihr von Rechts wegen hier wohnt. Seid ihr bei einem örtlichen Arzt oder Gesundheitsamt registriert? Seid ihr in der Schule angemeldet? – nach meinen Unterlagen nicht. Die Kindheit ist eine wertvolle Ressource unseres Landes, kleine Mädchen. Man sollte sie nicht vergeuden oder für eine Selbstverständlichkeit halten. Man muss sie auskosten und pflegen. Und wenn immer möglich, sollte dies im Einklang mit Gott geschehen oder mit sonst einem respektablen höheren Wesen oder was immer an einheitsstiftender universaler Macht eurer ethnischen Herkunft oder persönlichen Lebensgeschichte am angemessensten ist. Versteht ihr, von welcher Einrichtung ich komme, kleine Mädchen? Es ist eine Einrichtung, die alles über kleine Mädchen weiß, mit Ausnahme von ein paar bloßen Fakten. Fakten wie zum Beispiel euren Namen, Geburtsort und, sofern ihr eine habt, Sozialversicherungsnummer.«

Sie sahen Mr. Stillworth nie kommen; er war eher eine Art Niederschlag aus der Atmosphäre, wie Karma oder schlechtes Wetter. Manchmal stand er auf der Veranda, lehnte sich mit seinem ganzen Gewicht an die Tür und sagte kein Wort, zupfte an einem Nietnagel oder klopfte gedankenverloren mit einem dicken blauen Kugelschreiber an die Messingeinfassung des Briefschlitzes. Er pfiff Melodien, die Sal irgendwie bekannt vorkamen, Liedlein von glücklicher Liebe, über Gott und dass im Herzen der Menschheit für jeden Platz ist. Mr. Stillworth wollte diese positiven, erhebenden Überzeugungen selbst da noch mit ihnen teilen, als Sal und die kleine Schwester ihm zu verstehen gaben, dass sie nicht vorhatten, die Tür aufzumachen und ihn einzulassen.

»La-di-da, kleine Mädchen, kleine Mädchen«, sang Mr. Stillworth, die Schulter fest an den schmalen Türrahmen gedrückt. *»Quell der Liebe, Quell der Hoff-*

nung, kleine Mädchen, kleine Mädchen.« Es klang irgendwie wie ein Kirchenlied, manchmal auch wie »Stille Nacht«. Mr. Stillworth konnte stundenlang so singen, bis seine dünne, blecherne Stimme alles durchdrang wie das Sirren von Hochspannungsleitungen oder das Rauschen der Autos auf einer fernen Schnellstraße. Er war so allgegenwärtig, dass man ihn gar nicht mehr bemerkte. Und wenn man seine Stimme erst einmal gehört hatte, dann konnte man sich eine Welt ohne ihn kaum noch vorstellen.

»*Ich* bin denen egal«, erklärte Daddy, als Sal ihn das letzte Mal als einen selbstständigen Menschen, der sie liebte, sah. »Die interessieren sich nur für euch. Sie wollen euch in die Zeit zurückbringen, bevor ich euch fand, und zwei von ihrer eigenen Art aus euch machen. Das ist die Fahrkarte ins normale Leben, Sal, zu abgezirkelten Grünflächen und massenhaft hochinteressanten Bildungsangeboten für Kinder jeden Alters und jeden religiösen Hintergrunds. Hübsche kleine Parks und Spielplätze, Fahrradständer, Trinkbrunnen aus Beton, Klettergerüste, von denen die Farbe abblättert. Da gibt's einen Auslaufplatz für die Hunde, lockeres braunes Erdreich, wo sie auf Kommando kacken sollen, und danach hebt man es mit durchsichtigen Plastikhandschuhen auf, als ob sich die Natur auch noch für die grundlegendsten Bedürfnisse ihrer Geschöpfe schämen soll. Eine gelbe Notrufsäule, die schon seit Jahren nicht mehr funktioniert, und etwas, das sich Gemeindezentrum nennt, ein aluminiumverkleideter Klotz mit Teppichboden, wo schlecht frisierte Männer und Frauen Yoga oder Aerobic praktizieren oder Gemeindedienst verrichten oder wo sie erzählen, wie sie jahrelang misshandelt wurden, und sich der gegenseitigen Sympathie mit anderen Opfern, denen es genauso ergangen ist, vergewissern. Das Verrückteste an so einem Ort, Sal, ist, dass du dieselben Gesichter immer und immer wieder siehst, aber keines davon prägt sich dir ein. Du siehst sie immer und immer wieder, aber du kannst dir einfach nicht merken, wer sie sind oder warum sie dich dermaßen brauchen. Immer denkst du, du *solltest* sie eigentlich wiedererkennen, aber du tust es nicht. Junge Leute, alte Leute, uralte Leute, vollkommen gestaltlose unglückliche Leute, Leute, die außer dir den ganzen Tag über nichts haben, worüber sie reden können. Selbst deine eigenen Eltern, Sal – die sind auch nicht anders als alle anderen. Nur ein ödes Paar gutmütiger junger Typen mit Bürojobs, die nicht mal wissen, wie sie die bescheuerte Zündflamme an ihrem bescheuerten Boiler in Gang bringen, ohne dass sie dafür Blödmänner wie mich holen müssen. Von Leuten wie deinen Eltern habe ich mein Leben lang gelebt, Sal. Die könnten ohne Gebrauchsanweisung kein Streichholz anreißen, ohne kostenlose Nummer, unter der sie im Notfall andere Blödmänner anrufen können. Dahin wollen sie dich zurückholen, Sal. An einen dermaßen trostlosen Ort, dass ein trostloser Mensch wie ich dich von da mitnehmen konnte. Ich hoffe nur, du überdenkst die Wahl, die du hast, Kleines, bevor du dich entscheidest. Nicht dass es allzu viel Auswahl gibt. Aber du weißt schon, was ich meine.«

***

An dem Abend, an dem er fortging, wartete Daddy, bis die kleine Schwester schlief, und Sal half ihm, Pappkartons hinaus zum Wagen zu schleppen. In den Kisten waren alte Zeitungen und Zeitschriften, alle möglichen Stücke Bauholz mit Nägeln darin, schmutzige Arbeitshandschuhe und ein seltsames Sammelsurium aus Scharnieren, Schrauben und irgendwelchem kleinen Gerümpel, das aus dem Keller eines armseligen Tischlers hätte stammen können.

»Ich weiß, ich bin nicht gerade der beste aller Väter gewesen«, sagte Daddy noch zu Sal, als sie die Kisten, in denen der Krimskrams rasselte, hinten im Bus verstauten. »Ich halte zu den meisten Menschen Abstand, und ich bin nicht gerade ein gefühlvoller Mensch. Aber wenigstens habe ich euer natürliches Bedürfnis nach Zuwendung nie missbraucht – ich bin immer auf Distanz geblieben. Es wird mit der Zeit auch schrecklich langweilig, der Versuch, kleine Mädchen zu verstehen, und ich fürchte, ich bin der Aufgabe nicht gewachsen. Ich brauche etwas Sinnvolleres im Leben, ein Gefühl der Weite, eine Perspektive. Einen Raum, wo ich die Tür hinter mir zumachen kann, und ein regelmäßiges Einkommen, damit ich nicht so viel arbeiten muss, etwas

Akademisches in den Sozialwissenschaften vielleicht oder ein Job bei einer Behörde. Als Ziehvater zum Beispiel, das wäre etwas für mich. Die Kinder, die ich betreue, könnten bei mir wohnen, und ich könnte ihnen beibringen, wie man ein alternatives Leben lebt, solche Sachen. Anschließend, wenn sie erst mal wissen, wie das Spiel gespielt wird, würden sie von verantwortungsvollen Paaren in geregelten Verhältnissen adoptiert, und die Eltern würden sie mitnehmen. Dann kämen neue Kinder, würden bei mir wohnen und lernen und gingen dann wieder, beinahe wie am Fließband. Alles wäre von Anfang an geregelt. Keiner müsste sich in nutzlose Emotionen verstricken, keiner hätte falsche Erwartungen. Als hätten wir uns schon verabschiedet, bevor wir uns überhaupt begegnen.«

In seiner Beziehung zu anderen Menschen ändert man sich nicht, dachte Sal und sah zu, wie Daddy auf dem Fahrersitz mit den Holzperlen Platz nahm, wie er die zerfransten grauen Bänder des Sicherheitsgurts beiseitewarf und durch das breite verschmierte Fenster hinaus auf die menschenleere Straße schaute. Was sich ändert, ist die Beziehung, die man zu sich selbst hat. Aber manchmal merken andere das, und dann wollen sie sich einmischen.

»Wenn wir dich brauchen«, fragte Sal, »wie erreichen wir dich dann?« Es sollte eine der ganz wenigen Fragen bleiben, die Sal Daddy je stellte, denn sie hatten nie die Art von Beziehung gehabt, die auf Fragen und Antworten beruhte. Es war immer eher eine Leben-und-leben-lassen-Beziehung gewesen.

»Keine Ahnung, Schatz. Vielleicht im Telefonbuch nachschlagen? Du weißt, wie man mit einem Telefonbuch umgeht, oder, Sal?«

Darüber dachte Sal einen Moment lang nach. Dann sagte sie:

»Es ist ein Buch mit Zahlen, Namen und Adressen. Es sagt einem, wie man all die Leute erreichen kann, die man nicht kennen will.«

Daddy hörte oft nicht zu, wenn Sal etwas sagte. Einer seiner großen Vorzüge.

»Richtig, Schatz. Nummern und Namen von Leuten, denen du nie begegnen wirst. Und die blödsinnige Telefongesellschaft verschenkt die praktisch.«

⋆⋆⋆

Während der nächsten paar Tage erzählte Sal der kleinen Schwester nichts von dem, was vorgefallen war. Sie hielt sich einfach an die alten Routinen und brachte genug Wörter hervor, dass sie in Gang blieben.

»Okay, ungefähr eine Stunde können wir dieses Teespiel noch machen, aber wir hören auf, bevor ich vollkommen durchdrehe, weil es immer wieder dasselbe ist. Dann gehen wir spazieren und kaufen ein. Wir sind vollkommen pleite, bis, na ja, bis Daddy wiederkommt; wir müssen also im Supermarkt wieder zusammenarbeiten. Du trottest einen von den Gängen lang und fängst an zu heulen oder wirfst irgendwas um, und wenn sich dann alle um dich kümmern, stopfe ich mir die Taschen mit Bohnen und Hackfleisch in Dosen voll. Bis dahin haben sie dich mit Lutschern besänftigt, und dann tauche ich auf und spiele das zerknirschte, aber tüchtige kleine Mädchen. Davon kriegen sie ja anscheinend nie genug. Vor allem aber will ich, dass wir mit unserem Buch weiterkommen und über ein paar Leute reden, die ich ausgelassen habe. Zum Beispiel habe ich ganz vergessen, die Leute beim Sozialamt zu erwähnen und den stellvertretenden Bezirksstaatsanwalt und noch ein paar Nebendarsteller, die aber auch wirklich kaum der Rede wert sind. Und mach dir keine Gedanken, wenn du dir nicht jede Einzelheit merken kannst. Hör einfach nur zu, nimm es auf und lass es auf dich wirken. Du musst das Buch *werden*, nicht es auswendig lernen. Sonst wirkt es nämlich, als wäre keiner von diesen Leuten je von Bedeutung gewesen.«

Die kleine Schwester sprach kaum noch, jetzt, wo Daddy fort war; sie servierte ihren imaginären Tee oder kredenzte Sal imaginären Kuchen, und wenn ihr nichts anderes übrigblieb, als etwas Echtes zu essen, kaute sie es mit stiller, örtlich begrenzter Intensität. Viel war mit ihr nicht anzufangen, dachte Sal, aber sie war verlässlich. Und Verlässlichkeit war alles, was Sal im Augenblick brauchte.

»Leute wollen einen immer drängen, etwas zu tun oder irgendwo hinzugehen«, erklärte Sal ihr, sogar nachts, wenn die kleine Schwester schlief. Sie hielt die bleiche, schmutzige Hand des kleinen Mädchens und deutete den Puls, den sie fühlte, wie ein Muster aus Teeblättern am Boden einer Tasse. »Sie sind wie Naturgewalten, die alle kreuz und quer durch denselben Keller rennen und einen Weg nach draußen suchen. Aber es gibt keinen Weg nach draußen, deshalb rempeln sie sich dauernd gegenseitig an, schreien einander immer wieder dasselbe ins Ohr, bis sie überhaupt nichts anderes mehr hören als ihre eigene Stimme. Überraschung, Glück, Furcht, Beklemmung, Einsamkeit, Traurigkeit, Verlust. So viel gibt es einfach nicht an Erfahrung, wenn man in einem Keller lebt. Man kommt immer wieder auf die gleichen Themen zurück und tut immer wieder, als ob alles, was geschieht, vollkommen neu und unerwartet sei.«

Zum ersten Mal im Leben träumte Sal – als hätte jemand in ihrem Kopf einen Hebel umgelegt, eine neue Dimension der Empfindung zugeschaltet, die fast so schön, so fremdartig und vorhersagbar war wie das wirkliche Leben. Oft träumte sie von dem überfluteten Keller, wo die geriffelten Rücken von Krokodilen unter der grünen Oberfläche entlangglitten, oder von Daddy, der die Ruder eines Bootes schwang wie die linkischen Flügel eines großen mechanischen Vogels. Doch ebenso oft träumte sie von Mr. Stillworth, der manchmal aus der Haut von Daddy stieg, als zöge er einen dicken Wintermantel aus. Plötzlich waren sie nicht mehr im Keller. Sie standen auf der weiten Betonfläche einer Tiefgarage mit endlosen Reihen von Kombi- und Geländewagen.

»Das ist keine Welt für kleine Mädchen und kleine Jungs ohne Mommys und Daddys, die sie beschützen«, sagte Mr. Stillworth zu ihr, näherte sich ihrem Traum-Ich, als wäre sie ein wilder Hund, hielt ihr einen schlaffen Handrücken hin, damit sie ihn beschnüffeln konnte. »Wir leben in einer Welt, in der die Unschuld von gewaltigen übernatürlichen Mächten bedroht ist. Manchmal verkleiden diese Mächte sich als Lehrer in der Schule, als Krankenpfleger, als freundliche alte Damen, die euch auf der Toilette eines vornehmen Hotels ansprechen. Sie machen euch Komplimente, bieten euch Süßigkeiten an, versprechen, euch mit ihren Haustieren bekanntzumachen. Und mit der Aussicht, eure Lieblingslieder auf dem CD-Player zu spielen oder euch Fastfood mit Ketchup zu kaufen, locken sie euch in ihre Autos. Sie bringen euch in entlegene Gegenden, wo ihr euch nicht auskennt; sie sagen, ihr könnt ihnen vertrauen. Und irgendwann halten sie an und parken den Wagen und sagen euch, was *sie* wollen. Bisher war ja nur von euch die Rede. Was ihr wollt, was euch glücklich macht. Aber plötzlich geht es um *sie*. Als ob es euch gar nicht mehr gäbe.«

Manchmal erwachte Sal morgens auf dem Flur, wo sie eingeschlafen war, und stellte fest, dass Mr. Stillworths Stimme gar kein Traum war. Er stand draußen vor der Haustür; das Aroma von Eiern mit Schinken in seinem Atem kam durch den Briefschlitz, und dazu kleine Schnipplaute, als schnalze er mit Kaugummi an den Zähnen oder schneide sich die Fingernägel.

»Seid ihr so weit und kommt mit mir mit?«, fragte er. »Ich habe mit Mrs. Mayhew gesprochen, sie sagt, du magst gern Vanilleeis. Du heißt Stephanie, jedenfalls hast du ihr das gesagt. Ich glaube, ich weiß, wo wir Vanilleeis bekommen, Stephanie. Dann sagst du mir vielleicht auch, wie du wirklich heißt. Würdest du das für mich machen, Stephanie? Dann wüssten wir beide mehr als die olle Mrs. Mayhew, nicht wahr? Dann würde Mrs. Mayhew ganz schön blöd aus der Wäsche schauen.«

★★★

Die kleine Schwester steckte sich gern Sachen in den Mund und schmeckte sie mit der Zunge oder rieb deren Kante über ihren rauen Gaumen, mit einem verzückten, nach innen gekehrten Ausdruck, als male sie sich das Leben auf einem fremden Planeten aus. Sie achtete nicht groß darauf, was es war; wenn es in den Mund passte, dann kam es hinein. Alle erdenklichen Holz- oder Plastikteile, Streichholzschachteln und Flaschenverschlüsse, zerbrochene Blei- oder Buntstifte. Alles, was sie fand, unterzog sie einer solchen Prüfung, als orientiere sie sich immer wieder neu in der Welt mithilfe einer unsichtbaren gustatorischen Geometrie.

»Leg das weg«, sagte Sal zu ihr. »Lutsch da nicht dran. Wo hast du das überhaupt her? Du weißt doch nicht, wo das überall gewesen ist.«

Aber das kleine Mädchen nahm nie eins dieser Dinge aus dem Mund, nicht mal, wenn es dazu aufgefordert wurde. Es sah Sal lediglich mit jener forschenden, sich auf nichts festlegenden Neugier an. Das hier schmeckt wie das, sagten ihre Augen. Und Sal sagt Sachen wie die. Es war, als wären all ihre Sinne und Erfahrungen in einem einzigen Eindruck zusammengefasst. Der Frage, wie Dinge schmeckten. Oder wie andere glaubten, dass sie schmeckten.

»Du drehst mir den Magen um«, sagte Sal. Sie saßen hoch oben auf einem grasbewachsenen Hang mit Blick auf die Bienchen-Summ-Kinderkrippe. Ein bleiches, farbloses Licht sammelte sich über der grünen Hügellandschaft. »Bitte nimm das aus dem Mund. Und hör mir bitte zu, wenn ich dir etwas sagen will. Was du da unten siehst, ist eine Einrichtung wie die, aus denen Daddy uns geholt hat. Wenn du nicht aufpasst, wird uns genau diese Art von Einrichtung zurückholen und lässt uns nie wieder los. Banken, Hypotheken, Oberschule, Rentenversicherung, Grundsteuer, Finanzamt, Krankenhäuser voll mit Ärzten und Schwestern, die sich nicht mal gegenseitig ausstehen können, geschweige denn einen Haufen armseliger Zukurzgekommener wie uns. Bei jeder dieser Einrichtungen gibt es Formulare zu unterzeichnen, Regeln, denen man gehorchen muss, Räume, in denen man schläft. Wenn es nach denen ginge, dürften wir niemals wieder raus. Das Einzige, was wir kennen dürften, wären *sie. Ihre* Häuser, *ihre* Regeln. Jetzt hör doch mal zu; wie willst du denn etwas lernen, wenn du mir nie zuhörst? Bitte nimm das aus dem Mund. Ist das ein Stromkabel oder so was? Hat das da Hundekacke am Ende? Wo findest du so was nur immer? Ich habe nicht gesehen, dass du das aufgehoben hast. Das ist schmutzig, und es stinkt.«

So wie sie daran lutschte, hätte es eine Eistüte sein können oder eine Zuckerstange oder ein Pfirsichkern, an dem noch etwas Fruchtfleisch klebte. Sie würde es nie hergeben, da war jede Diskussion zwecklos.

Das ist alles, was ich brauche, sagte das kleine Mädchen mit seinen Augen. Das, was ich da im Mund habe, und dich.

Auf und davon

Es war, als hätte die Welt alles genommen, was Sal lieb war, und es verdorben, es irgendwie gegen sie gekehrt und ihr dann in so elendem Zustand wiedergegeben, dass sie es überhaupt nicht mehr wollte. In so einer Welt kann man einfach nicht jung bleiben, dachte Sal. Nach und nach verdirbt sie alle, und alle werden gleich.

»So machst du die Haustür auf«, erklärte Sal ihrer kleinen Schwester an ihrem letzten gemeinsamen Morgen, bevor Mr. Stillworth in seinem blauen, chromglänzenden Geländewagen zur Morgenwache auf der Veranda eintraf. »Ich stelle dir die Apfelsinenkiste hin, damit du drankannst, aber sei vorsichtig. Manche von den Latten sind lose, die Nägel kommen raus, da kannst du dir wehtun. Also, ich habe dir in der Küche ein wenig Vollkornmüsli dagelassen, und auf dem Fensterbrett stehen ein paar Flaschen ziemlich sauberes Wasser aus dem Gartenhahn. Vergiss nicht: Geh nur, wenn *du* bereit bist zu gehen, nicht, wenn *sie* es verlangen. Wenn du dir nicht sicher bist, geh nach unten, setz dich in den Keller, schließ alle Türen ab. Wenn Mr. Stillworth so gegen halb sechs Feierabend macht, kannst du zur Hintertür raus. Geh hauptsächlich im Dunkeln raus, aber wasch dir das Gesicht und kämm dir die Haare;

auf die Weise kommst du besser durch. Niemand will ein schmutziges kleines Mädchen mit schmutzigen Schuhen mitnehmen. Gerade wenn er eben erst sein Auto saubergemacht hat.«

Das kleine Mädchen stand an die Tür gelehnt und lutschte an etwas, das wie ein rostiges Metallbonbon aussah. Es ließ rote, gesprenkelte Flecken in ihren Mundwinkeln zurück.

»Wenn du andererseits beschließt, mit Mr. Stillworth mitzugehen, wird dir das keiner übelnehmen, ich jedenfalls bestimmt nicht. Er kann dir alles geben, was Daddy und ich dir nie geben konnten. Aber egal wie du dich entscheidest und wie es dann weitergeht, sei hinterher nachsichtig mit dir selbst. Nichts im Leben gelingt je ganz. Wir machen es einfach so gut wir können, und dann ziehen wir weiter.«

⋆⋆⋆

Der Himmel war blau und klar an dem Morgen, an dem Sal ihr altes Leben wieder aufnahm, auf die Straßen, in die Landschaften der vergessenen Welt zurückkehrte, einen ausgebleichten grauen Stoffbeutel über der Schulter, das Herz erfüllt von einem Gefühl rastloser Sehnsucht. Den Brotbeutel hatte sie in dem verwilderten Garten gefunden, ein nasser grauer Baumwollknäuel, der dort wie ein großer Daumenabdruck auf dem grauen Gewirr aus Unkraut und Schlamm gelegen hatte, als wäre er aus dem Bauch eines vorüberfliegenden Flugzeugs gefallen. Das Tuch war so weich und abgegriffen, dass es sich anfühlte wie grauer Filz, und nachdem sie ihn unter dem tröpfelnden Hahn gewaschen und an der trüben Sonne getrocknet hatte, hatte er sich als Beutel erwiesen, der groß genug für zwei Brotlaibe war, eine Literflasche Wasser und eine Dose Pringles mit Sauerrahm-Schnittlauchgeschmack. Sal mochte keine Pringles, aber ihr gefiel alles, was einen Verschluss zum Aufreißen hatte, gerade wenn die in Röhrenform komprimierte Luft dann auch noch mit einem kleinen Knall entwich. Und am besten fand sie, dass man sie ohne Dosenöffner aufmachen konnte.

Tage- oder auch wochenlang begegnete ihr kein anderer Mensch; es war, als stünde sie außerhalb der Zeit; sie verstand es gar nicht, wie die Welt dermaßen schnell hinter ihr verschwinden konnte oder welche Art von Grenze sie überschritten hatte, um an diesen Ort zu kommen, den sie sich nie zuvor vorgestellt hatte. Große orangerote Felsen und Berge erhoben sich rings um sie, Eruptionen der Formlosigkeit, schrundige Satzzeichen, die ihr nichts darüber erzählen konnten, wer sie war und woher sie kam. Aus der Ferne sah alles unmöglich und unerreichbar aus – die aufgebrochenen schwarzen, gezackten Risse im getrockneten Boden, die krummen Gipfel von Felszacken wie Ameisenhaufen und die Spalten dazwischen und der grauweiße Schaum der Wolken, der den Himmel bedeckte wie ein Pausenfüller bei einem Fernsehprogramm, das sich nie jemand ansah. Es war merkwürdig, dachte Sal, wie rasch man Leute vergaß, wenn sie nicht da waren. Selbst die Leute, die man verließ.

Und dann, als sie schon ein gutes Stück vorangekommen war, holte das Wetter sie ein, als sei es schon die ganze Zeit hinter ihr her gewesen. Eines Abends, als sie unter einer umgekippten Reklametafel schlief, auf der kein Wort mehr zu entziffern war, öffnete der Himmel seine Schleusen zu einem schweren Regen, der drei Tage lang nicht mehr aufhörte und der Sal mit einem Übermaß an Atmosphäre durchtränkte, das an ihrem Körper und ihren Kleidern wie ein Spottbild von Flüssen und Schlammlawinen herabströmte. Egal wie schnell sie ging, der Wind blies ihr das Wasser in schimmernden Wirbeln von Haut und Gesicht, bauschte sie wie die Segel eines Geisterschiffs. Es war, als ob das Wetter Sal zugleich vor sich hertreibe und sie umschlösse, sie in eben die Kräfte, denen sie sich widersetzte, hineintrieb – stürmische Böen, kurze, prasselnde Hagelschauer, Sandwirbel, die sich aus dem Boden rings um sie plötzlich erhoben wie gespenstische Wächter, verschlagen ihrem Blick auswichen, wenn sie hinsah, und sich ihr an die Fersen hefteten, wenn sie anderswohin blickte. Nicht einmal andere Tiere sah sie hier draußen, das war etwas, das ihr Sorgen machte. In alle Richtungen war der Boden mit Tausenden von Löchern übersät, als sei dieser Teil des Erdballs von winzigen Meteoren getroffen worden, abgefeuert von einer Schrotflinte groß wie der Mond. Keine Erdhörnchen oder Kaninchen steckten ihre Köpfe aus diesen Löchern. Dort wohnte niemand, nur die Löcher selbst.

Man hat mich hergeschickt, damit ich begreife, ging Sal eines Morgens auf, als das Gewitter solche Ausmaße angenommen hatte, dass selbst der Erdboden donnerte. Es war das erste Mal in ihrem Leben, dass Farbe sie aufgeweckt hatte – ein Horizont aus strudelnden Wolken und grellen Blitzen, die aus der ungesehenen Welt hervorbrachen, der sie entgegenstrebte. Ich halte nicht Ausschau nach den Dingen, nach denen ich normalerweise Ausschau halte, nicht einmal nach den Menschen, die mir früher gelegentlich bei der Orientierung halfen. Ich brauche keinen Ort zum Schlafen, auch niemanden, der mir zu essen gibt, nicht einmal Auskunft über den Weg zur nächsten öffentlichen Toilette. Es war, als hätten alle einschränkenden Mechanismen der Welt ihr Wirken lange genug eingestellt, dass Sal einen Weg heraus finden konnte. Sie brauchte keine Leute und keine Häuser mehr. Alles, was sie brauchte, war Willenskraft.

In den ersten Tagen mangelte es Sal weder an Nahrung noch an Flüssigkeit. Sie trank direkt aus dem Himmel und füllte ihre Evian-Flasche, indem sie sie in den prasselnden Regen hielt. Sie aß wilde Himbeeren und kleine harte Holzäpfel, die auf dem dornigen, disteligen Teppich der kargen Oasen lagen. Als die Landschaft sich änderte, kamen auch neue Arten von Wetter – die Sonne brannte, der Wind wehte heiß und trocken, über dem harten Boden schillerten Wellen der Nicht-Bedeutung, die Sal noch tiefer in die Hitze hineinzogen. Kojoten wurden häufiger; der Boden wurde sandiger. Schließlich hörte der Regen auf, das Wasser verdunstete aus Sals gerippter Plastikflasche, und ihr Inneres wurde trocken und rau. Wenn sie überhaupt noch eine Stimme hatte, dann gab ihr Hals sie nicht mehr frei. Wenn sie sich über ihre dünnen Arme fuhr, fühlte ihre Haut sich hart an. Sie konnte sie hin und her schieben, wie ein billiges Toupet auf dem Schädel eines kahlköpfigen alten Mannes.

Früher war ich klein, aber jetzt bin ich nicht mehr klein, dachte Sal, als sie hinaus in die stets wachsende Ferne schritt. Ihre Beine funktionierten nicht mehr so gut wie früher; sie stolperte über Brocken aus Hitze, die aus dem Wüstenboden gekrochen kamen wie Spinnen. Früher war ich jemand, den die Leute in den Arm nahmen. Aber bevor ich das Wetter entdeckte, hatte ich gar keinen Begriff davon, wie groß die Dinge in Wirklichkeit sind. Ich umschließe meine eigene Landschaft, ich atme meine eigene Luft, ich denke über meine eigenen Welten nach. Und wenn ich standhalte, kann mich keiner zu etwas anderem zwingen. Ich kann mir meine eigenen Arten von Wetter vorstellen.

★★★

In jener Nacht durchlitt Sal schreckliche Visionen von Katastrophen und Zerstörung. Erdbeben trafen das harte Land wie Fausthiebe, gewaltige Risse öffneten sich in den Flanken schwarzer Berge, spuckten Flammen und rote Lava. In fernen Städten wurden die Leute, die einst Sal geliebt hatten, unschuldig von Unglück heimgesucht: Wütende Menschenmengen rissen sie mit großen Rohrzangen und Gartengerät in Stücke, Wirbelstürme verwüsteten ihre Häuser und Garagen, und auf jeden, der noch aufrecht stand, prasselten wie als Draufgabe Glasscherben herab. Alles, was Sal über die Welt wusste, schwand, wie es schien, dahin.

Als Sal erwachte, schmorte sie in der Gluthitze. Die Schatten der Bäume mieden sie, und nur ein paar Schritte weiter saßen Kojoten verschwörerisch beisammen und beäugten ihren leeren grauen Brotbeutel, der wie ein schlaffer Ballon am Boden lag. Als sie ihnen in die Augen starrte, schlichen sie davon. Sie wollten sie nicht herausfordern. Sie wollten nur wissen, wo sie war.

Alles an der Welt, was Sal liebte, lag plötzlich weit hinter ihr; sie schleppte sich durch die weiße Ebene voran, fest entschlossen, nicht zurückzublicken. Man soll nichts lieben, was nicht von Dauer ist, dachte Sal. Nimm einfach nur, was du brauchst. Zieh weiter. Immer wieder neu. Alles, was zählt, ist das Leben, bis es vorbei ist. Und wenn es vorbei ist, geh nicht noch mal hin.

***

Sie ging, bis ihre rosa Schuhe abfielen und ihre weißen Socken durchgewetzt waren. Sie schlürfte Feuchtigkeit aus Kakteengliedern, die sie aufbrach wie seltsam geformte Gurken, und machte sich einen Turban aus Stoffstreifen, die sie vom Saum ihres zerschlissenen rosa Kleides riss. Sie lebte von grau gefleckten Eiern aus dürren Nestern, kleinen ledrigen Eidechsen, wenn sie nicht schnell genug waren, und den borstigen Blütenbechern von Wildblumen; sie sog alles ein, was weich und zersetzbar war, und nahm es in sich auf. Auf ihrem Weg der zerstörerischen Sonne entgegen kamen, wie kurze kleine Explosionen, Kaninchen aus dem grauen Gestrüpp gestürmt. Präriehunde und Erdhörnchen tauchten aus Löchern im Boden auf, die dürren Pfoten ausgestreckt, als wollten sie sich ergeben. Aber ihr seid niemandem etwas schuldig, dachte Sal. Keiner ist etwas Besseres als ihr. Wir sind alle gleich: hungrig und durstig, ausgeliefert dem schlechten Wetter.

Ihr Körper und ihr Verstand wurden härter, kompakter, aufmerksamer. Sie war jetzt nicht mehr die alte langweilige, verschlossene Sal. *Ich gehe nirgendwohin, ich gehe von nirgendwo fort,* schärfte sie sich ein. Sie war in einer Art klebrigem, gelbem Sand liegengeblieben; die Beine rührten sich nicht mehr, das Herz pochte; ihre Lider flackerten; sie konnte nichts lange genug im Blick halten, um es zu sehen. *Ich bin nirgendwohin unterwegs, und das in meinem eigenen Tempo. Ist mir egal, ob ich ankomme. Es geht nur um Ich und Nicht-Ich. Es geht darum, dass man sich zusammenreißt und nicht aufgibt. Das Zeug, das die Leute einem immer erzählen – ob man zuhört oder nicht.*

Manchmal lag sie stundenlang auf dem heißen Erdboden, schirmte mit dem umgekehrten V ihres Ellenbogens ihre Augen vor der Sonne ab, sodass sie aussah wie eine zerbrochene Puppe. Sie schmeckte die Trockenheit ihres eigenen Mundes; was sie mit ihrer Zunge fühlte, fühlte sich alt an. Und dann, wenn sie sich nicht einmal mehr vorstellen konnte, dass sie aufstand und weiterging, lieferte sie sich der harten Erde aus und versuchte sich die Gesichter der Leute ins Gedächtnis zu rufen, die gesehen hatten, wie sie vorüberging. Sie hatten sie angestarrt, ohne auf sie zu achten, ihre Gesichter angefüllt von zu viel Information. Sie sahen alle unterschiedlich aus, aber sie konnte sie nicht auseinanderhalten. Man kann sie so schwer aufschreiben, dachte Sal. Warum ist jeder so befangen? Es spielt doch alles keine Rolle. Und je befangener sie sind, desto schlechter erinnert man sich an sie.

Wenn die Sonne unterging und die kalte schwarze Nacht aus sich heraustrat, konnte Sal sich wieder bewegen. Sie stieß mit den Füßen gegen den Boden, schob sich ruckartig seitwärts voran, wie die Schlange, der sie einmal morgens mit einem scharfen Stein den Kopf abgeschlagen hatte. Schließlich konnte sie sich mit diesen mühsamen Stößen auf ein Knie oder einen Ellenbogen hieven; sie fand Halt; ihr Körper fügte sich entweder der Schwerkraft, oder die Schwerkraft fügte sich ihm, und jedes Mal, wenn sie aufstand, fühlte es sich an, als sei es das erste Mal;

sie musste jedes Mal wieder neu lernen, wie man das Gleichgewicht hielt. Die Sterne formierten sich gegen sie, überzogen die Nacht mit ihrem Strahlen, kleine flammende Welten nach der anderen. Kehr um, sagten sie. Geh zurück. Du kannst nie so schön sein wie wir. Du kannst nie so hell strahlen.

Es war, als wollten sie sie reizen, dieses Meer von Sternen, das an ihr Ufer brandete. Und wenn sie sich voranbewegte, in hundert verschiedene Richtungen zugleich humpelte, dann lernte sie es schätzen, dass sie einfach immer nur sie selbst blieb. Es kam nur darauf an, dass man sich einen Schritt vornahm und ihn ausführte. Letztlich kaum mehr als eine Frage des richtigen Urteils.

Manche Bücher kann man nicht zu Ende bringen, dachte Sal. Und manche Leute lassen sich nicht aufschreiben.

Das machte sie wütend und eitel.

Ihr seid nicht fair, sandte sie in Gedanken den Sternen ihre Antwort, als pariere sie eine hässliche Vorlage auf dem Tennisplatz ihrer Fantasie. Ihr könnt mir nicht sagen, was ich zu tun habe. Ihr könnt mich nicht *nicht* lieben, mich nicht *nicht* kennen. Gewöhnt euch dran. Ich bin nun mal hier.

★★★

Sie gewöhnte sich an, die Zeit als eine Folge von Dingen zu messen, die sie aushalten musste. Sie musste

Schmerzen aushalten, wunde Füße, sie musste die Sterne aushalten, das Gelächter, die verrückten Bäume. Aber bald nachdem das Aushalten veränderter Perspektiven dazugekommen war, trat Sal in eine Phase ein, die sich weniger leicht in Begriffe fassen ließ. Später nannte sie es das Aushalten von Tieren. Aber während sie es erlebte, kam es ihr eher vor, als müsse sie das Bewusstsein ihrer selbst aushalten oder eine Verwandlung oder Hitze.

Sie war einen steilen Hang hinaufgeschritten, ihr Verhältnis zur Schwerkraft dabei immer im Fluss. Sie hätte nicht sagen können, ob sie nach vorne gebeugt oder nach hinten geneigt ging, und hinter ihren Ohren zischte etwas, als entweiche Dampf aus ihr. Die Farben des Himmels schimmerten in den gedämpften Pastelltönen eines Comics, gepixelte Luft wie Sand, Wolken wie leere Sprechblasen. Von Zeit zu Zeit erschienen Tiere und verschwanden wieder, bohrten sich aus dem Boden hoch oder saßen auf Bäumen und Felsen wie Schießbudenfiguren. Hochspannungsleitungen von militärischer Strenge tauchten am fernen Horizont auf, und Sal wusste nicht, ob sie weiter darauf zuhalten oder ob sie umdrehen und ihnen den Rücken kehren sollte. Vielleicht waren sie eine Warnung. Das ist deine letzte Chance, sagten sie. Und jetzt bitte geh.

»Von nun an«, sagte eine Stimme aus der Wüste, »wirst du dir selbst genug sein. Du wirst alles aushalten bis auf die Erlösung. Nachts wirst du dein Zelt aufschlagen, und du wirst Nahrung an unerwarteten Orten finden. Unter Felsen und im Schatten der Bäume. Du wirst dich in die Erde verkriechen und Geborgenheit bei Steinen und Wurzeln finden; selbst Wölfe werden dich schützen. Erschöpft von der Gesellschaft der Menschen wirst du die einfache Sprache der Tiere schätzen lernen, die dir nicht mit dummen Wörtern oder Wendungen zur Last fallen können, mit ihren abstrusen Träumen von Sinn und Bedeutung.«

Es war ein dürrer orangeroter Kojote, mit einem grauen Fleck schlaffer Haut über der einen Schulter. Sal wusste nicht, wie lange der Kojote ihr schon gefolgt war, aber offenbar sah er immer ihre nächsten Schritte voraus, schwebte vor ihr her wie ein Drachen. Man trifft eine Menge merkwürdiger Gestalten auf dieser Welt, dachte Sal. Da kann keiner erwarten, dass man sich von jeder den Namen merkt.

»Du musst aufpassen, dass du immer du selbst bleibst und dass du Abstand hältst, wenn du zurückgehst«, sagte der Kojote. »Sieh dich vor, dass du dir keine Hobbys zulegst, die dich zwingen, deine Zeit mit materiellen Dingen zuzubringen. Briefmarken, Kronkorken, Münzen, Indianerschmuck, diese Art Kram. Wenn du älter wirst, womöglich Modelleisenbahnen oder Puppen, klassische Sammlerstücke mit pergamentgelber Haut und zerbröselnden Taftkleidern. Es kommt weniger darauf an, was du denkst, als darauf, was du *nicht* denkst. Du musst zum Beispiel nicht über die Welt nachdenken. Oder das Wetter oder die Leute. So was hat dich gerade erst in Schwierigkeiten gebracht. Das hat dich der tieferen Wirklichkeit in deinem Inneren entfremdet.«

Es war merkwürdig, wie ein Kojote gleichzeitig gehen und reden konnte, den Körper schräggestellt wie ein Segelboot, das im Sturm in eine Hafeneinfahrt manövriert. Er kam immer näher und entfernte sich zugleich immer mehr. Sal überlegte, ob es wohl ein Wort gab, um einen solchen Widerspruch auszudrücken. Synergie war ein Ausdruck, den sie einmal gehört hatte. Dynamik. Umlaufgeschwindigkeit. Göttlichkeit. Hoffnung.

Zum ersten Mal seit Ewigkeiten dachte Sal wieder an die Sonnenblume in Mrs. Andersons Garten, wie sie mit eingezogenem Kopf missmutig die Welt um sich herum beobachtet hatte. Sie dachte an den Unglücklichen, die namenlose Folge von Waschsalons und an die Verkaufsautomaten, die im Laufe ihres Lebens die verschiedensten Persönlichkeiten angenommen hatten, von mürrisch und abweisend bis zu wohlhabend und bekümmert. Sie dachte an die Räume der Fürsorge, denen sie entgangen war, wo andere Kinder schweigsam und allein auf ihren angewiesenen Plätzen saßen und versuchten ihren eigenen Gedanken zu lauschen. Dann war da Mrs. Mayhews Auto, die Art, wie Daddy nicht zurückgeblickt hatte, als er davongefahren war, und dieses kleine, zusammengekauerte, dunkle Etwas in einem Tümpel aus klammen Decken, das vielleicht jemand genau wie sie gewesen war, obwohl sie sich nicht ganz sicher war. Eine ferne, hypothetische Art von Aufmerksamkeit, als richte ein Marsmensch sein Teleskop auf sie. Gefesselt an sein Bewusstsein der Dinge und Menschen. Nicht in der Lage, sich von der Welt, die er beobachtete, zu lösen, und auch nicht, ihr näherzukommen. Genauso wie Sal.

★★★

Keiner wusste, dass sie kam. Sie hatte keine Karten oder Briefe mit Ankündigungen geschickt, keine Rauchzeichen mit Lagerfeuer und geschwenkter sackleinerner Decke. Sie kam einfach ans Ende ihrer Einsamkeit und verabschiedete sich. Es fühlte sich nie an wie ein Ankommen. Es fühlte sich immer an wie ein Fortgehen.

»Wenn du uns brauchst, weißt du, wo du uns finden kannst«, sagte der Kojote. Sie waren auf dem Kamm eines braunen Feuersteinhügels angelangt. Als Sal einen flachen Stein bergabwärts kickte, nahm er andere mit, diese wiederum weitere, ein klapperndes, anschwellendes Geräusch. »Du findest uns in der Tierhandlung oder im Zoo. Wir sind am Himmel, wir sind im Gebüsch, wir sind im Meer, wir sind in den Bäumen. Wenn alles gut geht, kommen wir von nun an nicht mehr. Dann lassen wir dich die Dinge allein lernen.«

Das Haus war eher die Karikatur eines Hauses, als wären seine knorrigen Bohlen und krummen Eisennägel Ausschussware, die beim Bau von anständigen Häusern in einer anständigen Umgebung abgefallen war. In den Fenstern gab es nicht einmal Glasscheiben, nur Musselinbahnen, die mit Reißnägeln an die

Rahmen genagelt waren wie Kaninchenfelle. Eine Phalanx grüner, verästelter Zweige lag aufgehäuft unter einer halb aufgespannten Plastikplane, daneben kniete ein altes, rundliches Auto ohne Räder wie ein greiser Hund, der keine Knochen mehr beißen kann und um einen Bissen bettelt. Der Mann, der auf der Veranda saß, mit Bart und langen Haaren, sah uralt und blutjung zugleich aus und trank etwas Bernsteingelbes aus einem langstieligen Weinglas. Er stand nicht auf, er bot ihr keine Hilfe an. Er sah einfach zu, wie sie sich über einen zerbeulten Aluminiumeimer beugte und sich mit einer verrosteten Kelle Wasser in den Mund goss.

Vielleicht geht es hier, dachte Sal und kostete das Wasser. In einem Haus wie dem könnte ich schlafen. Ich könnte Wasser trinken, das so schmeckt wie das. Einen Mann wie den könnte ich zusehen lassen bei dem, was ich mache. Ich könnte sogar im Haushalt helfen.

Der altjunge Mann hatte es nicht eilig. Mit rissigen Lippen trank er den Rest der goldgelben Flüssigkeit aus dem langstieligen Weinglas. Dann stellte er das leere Glas auf einem geradezu porös wirkenden schachbrettgemusterten Beistelltisch ab. Sal sah genau, wie gut dieser bernsteingelbe Trank dem altjungen Mann schmeckte.

Er leckte seine rissigen Lippen wie eine Echse auf einem Felsen.

»Weißt du, was das heißt«, fragte er Sal, »wenn ein halbnacktes kleines Mädchen in den Überresten eines rosa Baumwollkleids aus der Wüste erscheint?«

Sal spürte, wie kleine Plopp- und Blubberlaute aus ihrer Kehle kamen. Sie musste nicht antworten, wenn sie nicht wollte. Sie würde sich nie wieder von jemandem etwas vorschreiben lassen.

Der altjunge Mann zeigte ihr makellose weiße Zähne in einem Gesicht, das weder weiß noch makellos war.

»Das heißt«, sagte der altjunge Mann, »dass diese blödsinnige alte Welt doch noch eine Chance hat.«

Der Triumph der Himmel

Sie wollte nicht schlafen oder träumen oder auch nur einen Augenblick dieses vollkommenen Bewusstseins verlieren, für das sie so weit gereist war. Stattdessen lag sie wach, geborgen in ihrer eigenen Erschöpfung wie ein Blatt nach dem Sturm, sah durch die Musselinvorhänge zu, wie die Sonne auf- und wieder unterging, schob die Unterlippe vor, um sich mit der nunmehr vertrauten Kelle das Wasser in den Mund gießen zu lassen, das der altjunge Mann von Zeit zu Zeit brachte, ganz wie sie es bei Blüten gesehen hatte, die sich nach den kleinen Aufmerksamkeiten einer Biene reckten, oder einem Hund, der an einem Knochen schnüffelte. Das Leben ist eine lange Reihe von Versäumnissen, dachte sie. Man bekommt nie das kleine bisschen extra, auf das man hofft. Man kann nicht erwarten, dass man im Leben alles bis zum letzten Tropfen aufleckt.

Wäre Sal gestorben, hätte ihre Welt vielleicht so ausgesehen. Ein baufälliges Haus, eine wacklige Pritsche, Wasser in zunehmend größeren Portionen. In einer Ecke des Zimmers lag ein großer Haufen verbeulter leerer Vogelkäfige, die metallenen Münder offen, die abgeschabten hölzernen Sitzstangen vom Kot zerfressen. In einer anderen Ecke war eine Ansammlung von *Reader's Digest*-Auswahlbänden wie Totems aufgestapelt, mit ihren schrundigen Leineneinbänden, die wie handgegerbtes Leder aussehen sollten. Verloschene weiße Kerzen klebten auf gesprungenen weißen Tellern oder ragten aus dem Hals von wachsnasigen Weinflaschen hervor. Der altjunge Mann lebte schon so lange hier, dass alles sein Bleiberecht hatte, selbst das Gerümpel. Alles gehörte hierher, sogar Sal.

»Wenn wir sterben«, sagte der altjunge Mann, der auf der Kante von Sals Pritsche saß und ihr mit einem kühlen, feuchten Tuch über die Stirn fuhr, »gehen wir an einen Ort, an dem es aussieht wie hier. Möbliert mit all den Dingen, die wir im Laufe unseres Lebens geliebt haben. Die Leere, die wir spüren, verwandelt sich in ein Haus. Es gibt keine anderen Menschen dort, das ist das Gute daran. Es gibt nichts außer den Geistern von Dingen, die uns einmal gehört haben, Dingen, die wir gespürt haben, Erinnerungen an Geduld und Hitze. Und das Beste, kleines Mädchen, ist, dass wir uns endlich nicht mehr auf bedeutungslose Dinge einstellen müssen, uns zum Beispiel nicht mehr fragen, wer uns wohl als Nächster begegnen wird oder was geschieht, wenn er wieder fort ist. Im Leben nach dem Tode ist alles schon vorbei. Es gibt nichts mehr, was wir bedauern müssen, nichts mehr, worauf wir warten. Wir können uns zurücklehnen und Wasser aus einer rostigen Kelle trinken. Wir können die Käfige bewundern, die einmal Vögeln gehörten, die längst tot sind.«

★★★

Sal gewöhnte sich wieder an eine konventionellere Abfolge von Nacht und Morgen, lag auf der Pritsche und trank grünes Wasser in kleinen Schlucken, studierte das Durcheinander der Vogelkäfige wie die Erinnerung an ein früheres Leben. Früher, vor langer Zeit, war sie von einer Stange zur anderen gehüpft. Sie hatte Wasser aus Plastikschälchen getrunken, Körner aus Plastikbechern gepickt. Erst wenn sie flog, merkte sie, wie begrenzt ihre Möglichkeiten waren. Eigentlich konnte man gar nicht von Fliegen sprechen. Es war eher eine Folge kleiner aeronautischer Hüpfer.

»Man entkommt nie«, erklärte der altjunge Mann ihr. »Schon gar nicht den Kindern. Man denkt, man kann ihnen entkommen, stellt sich alle erdenklichen exotischen Orte vor, an die man sich vor ihnen flüchten könnte, aber sie finden einen immer, selbst da noch, wo die Steuerfahndung nicht hinkommt. Sie betteln um Kleingeld und um Zuneigung. Sie zeigen dir all die schmutzigen Sachen, die sie auf der Straße gefunden haben, sie machen dich mit ihren Püppchen bekannt, stellen endlose Fragen über Nichtigkeiten, nicht weil sie deine Antworten hören wollen, sondern aus Vergnügen an dem Ritual, dass einer redet und der andere nicht zuhört. Das Schlimmste an Kindern ist, dass sie überall sind, als hätten sie einen längst durchschaut; nicht eine Sekunde lang kann man ihnen etwas vormachen. In jedem Land, in das du gehst, in jeder Stadt, in jeder Straße werden sie sein und dir den Hals brechen mit den Rollschuhen, die sie umherliegen lassen, ihren Modellautos, den Plastikrobotern, den stinkigen, wasserfleckigen Ausmalbüchern. Das bleibt dir immer von den Kindern, kleines Mädchen: der Geruch, den du selbst mit Essigessenz nicht wegkriegst. Und der Geruch von all den toten, sinnlosen Dingen, die sie zurücklassen.«

★★★

Besser, man lässt die Welt zu sich kommen, dachte Sal. Sie lag auf ihrer steinharten Matratze, das feuchte Geschirrtuch über der Stirn, spürte, wie es an den Rändern trocken und steif wurde, und dann kam der altjunge Mann, spülte es in einem Eimer aus und legte es ihr von Neuem auf die Stirn. Wenn man hinaus in die Welt geht, vergeudet man Energie und Bewegung. Man strandet an den merkwürdigsten Orten. Hunde bellen einen an, man muss auf Parkplätzen schlafen, und die Leute tun, als sähen sie einen nicht, selbst wenn man direkt vor ihrer Nase steht. Wer man ist, spielt nie eine Rolle. Nur wo man gewesen ist und wen man kennt.

»Wir wollen nur ganz kurz mit ihr sprechen«, sagte eine Frau. »Sie fragen, ob sie sich an Tante Sophie und Onkel Ted erinnert, und ihr das Keramikschwein hier zeigen. Gut, ich wickle es aus, und Sie gehen rein und zeigen es ihr; wir haben ja nicht den ganzen Tag Zeit. Wenn sie sich nicht an Tante Sophie erinnert und auch nicht an das Keramikschwein, dann gehen wir und kommen nie wieder, das versprechen wir. Dann gehen wir davon aus, dass sie nicht das Mädchen ist, das wir suchen, und pfeifen die Anwälte zurück. Wir wollen keinen Ärger machen. Sie soll nur die Chance haben, sich an ihre Vergangenheit zu erinnern. Und an die Leute, die ihr auf ihrem Weg geholfen haben.«

Aber der altjunge Mann hatte die Tür nur einen Spaltbreit aufgemacht. Er musste sich nicht dagegenstemmen, er brauchte keinen Nachdruck in seiner Stimme, er hielt auch so die Stellung. »Sie schläft«, erklärte er ihnen. »Und sie weiß nichts von einer Tante Sophie. Und jetzt gehen Sie bitte. Ich will nicht unfreundlich klingen, und ich will Ihnen nicht drohen, aber das hier ist mein Grundstück, und ich bitte Sie zu gehen.«

»Es ist ja nicht nur Tante Sophie«, sagte die Frau lauter, als wolle sie mit ihrer Stimme wie mit einem Echolot das Terrain sondieren. »Es sind Tante Sophie und Onkel *Ted*! Fragen Sie sie, ob sie noch weiß, wie sie dem Milchmann Zettel rausgelegt hat! Oder wie wir am Flughafen unser Auto nicht mehr wiedergefunden haben! Stellen Sie ihr nur eine einzige von diesen einfachen Fragen, und dann gehen wir, das versprechen wir Ihnen!«

Von ihrem Bett konnte Sal nicht zum Fenster hinaussehen; sie kam mit dem Arm nicht einmal bis an den Rand des brüchigen, fadenscheinigen Vorhangs. Sie sah nur unbestimmte Umrisse jenseits des Fensters, Wolken und Pflanzen und Berge und die noch unbestimmteren Schatten von Fahrzeugen, die knirschend die steinige Auffahrt heraufkamen, mit dem trockenen, kompakten Geräusch von Beton in einer Mischmaschine.

»Sie schläft«, sagte der altjunge Mann. »Sie kennt Sie nicht, und sie will Sie auch nicht kennenlernen. Jetzt steigen Sie wieder in Ihr Auto und fahren Sie zurück zur Hauptstraße. Nach rechts, zehn Meilen, dann sehen Sie das Schild zur Auffahrt. Nehmen Sie verflucht nochmal die Auffahrt und machen Sie, dass Sie wegkommen.«

Es fühlte sich gar nicht mehr wie Zeit an; es war nicht, als zähle der Tachometer die Meilen zusammen, als lege sie Entfernungen zurück. Es war Ansammlung in einer viel grundsätzlicheren Form, wie das Anhäufen von Urmaterie: Gold, Erde, Knöpfe, Wachs. Der altjunge Mann stellte ihr nie eine Frage und erwartete nicht, dass sie ihn etwas fragte. Er fütterte sie mit Rinderbouillon, mit weichen, geschälten gelben Möhren aus dem Unkrautgarten und lauwarmem Chili con carne. Er kochte das rostige Wasser nicht ab und kühlte es nicht, wenn er es ihr morgens und abends mit der Kelle brachte wie ein Sakrament, ein merkwürdiges, übertriebenes Ritual, das Sal vor langer Zeit einmal in einer Kirche gesehen hatte. Ab und zu nahm er im Weggehen einen von den leeren Vogelkäfigen mit und warf ihn scheppernd auf einen großen Holzstapel jenseits des Gartens, wo es ein großes Gekreisch von Laufvögeln verursachte, und seltsam rasselnde Geschöpfe huschten von der Aufschlagstelle davon wie die Ringe, wenn man einen Stein ins Wasser wirft. Manchmal huschten diese

Geschöpfe auch durch die Hütte, rasselten unter den Bodendielen oder prallten von den Wänden ab wie kleine pelzige Gummigeschosse. Nie fühlte die Hütte sich poröser oder immaterieller an, als wenn diese Tiere darin verschwanden.

»Ist etwas Grünes, Schuppiges hier durchgekommen?«, fragte der altjunge Mann. Er trug eine Jogginghose mit abgeschnittenen Beinen und an den Händen zwei unterschiedliche Gartenhandschuhe. Das Haar auf seiner Brust war grau und verfilzt wie altes Leder. »Es war so schnell, ich konnte nicht sehen, ob es eine Echse oder eine Schlange war. Aber ich hätte es in Maisöl braten können, vielleicht auch in Kakaobutter. Die meisten Menschen wissen gar nicht, dass man mit Kakaobutter auch die abartigsten Zutaten genießbar machen kann, aber die meisten Menschen wissen ja überhaupt nichts. Diese sogenannten Freunde von dir zum Beispiel, die dauernd herkommen, die wissen nicht mal, wie du heißt oder wo du herkommst. Anscheinend haben sie nur gehört, dass da ein kleines Mädchen aus der Wüste gekommen ist, Muskeln in ihren Waden wie Stränge von Kupferkabeln, mit so einem abwesenden Ausdruck in den Augen. Und wohlerzogen, so was hat man noch nicht – *he!* Was war das? War das was Grünes? Hinterhältiges Biest. Eines Tages brenne ich den Laden hier nieder, dann sollen sie sehen, wo sie sich verstecken. Dann hole ich sie mit der Schaufel aus dem Sand, wenn mir nach einem von ihnen zumute ist, und beiße ihnen ihren verfluchten Kopf ab.«

Manchmal kamen die Leute in Gruppen und drängten sich im Wohnzimmer, sprachen leise, setzten ihre Schritte vorsichtig wie späte Trauergäste auf dem Weg durch ein enges Mausoleum. Sie benahmen sich schüchtern und zugleich anmaßend, tauschten flüsternd ihre abwegigen Gedanken aus, als berge jedes Objekt im Raum eine geheime Botschaft von Sal.

»Wahrscheinlich sitzt sie auf dem Stuhl da«, sagten sie. »Wahrscheinlich trinkt sie Wasser aus der Tasse dort und betrachtet den Himmel durch jenes Fenster und verbringt ihre Zeit in Meditation über moralische Fragen versunken, deren Komplexität wir uns nicht einmal vorstellen können; wir stehen ja in unserer Bewusstseinsebene so tief unter ihr, dass es schon lächerlich ist. Nur die äußere Hülle ist die eines kleinen Mädchens, und darunter steckt eine große Denkerin. Sie ist zu uns gekommen, um uns zu lehren, wie wir besser und freundlicher und weiser sein können, als wir normalerweise sind. Seht euch zum Beispiel das Glas da an. Das sind wahrscheinlich *ihre* Fingerabdrücke – nicht anfassen, Sammy! Ansehen, habe ich gesagt, nicht anfassen! Das ist kein Spielzeug. Das ist etwas, das wir verehren sollten. Warte, ich mache ein Foto. Mach ein Foto von mir, wie ich hier stehe und mit dem Finger darauf zeige, okay? Das bin ich, wie ich mit dem Finger auf *ihre* Fingerabdrücke auf dem Glas zeige. Warte, bis das grüne Lämpchen leuchtet, und dann drückst du an der Seite den grauen Knopf.«

Das Schlimme an Leuten, dachte Sal in ihrem Bett hinten in der Hütte, ist, dass sie immer nur kommen, wenn man sie gerade nicht haben will. Und wenn man jemanden braucht, ist natürlich keiner da.

»Können wir sie mitnehmen?«, fragte ein kleines Mädchen draußen auf der Auffahrt. Wenn Leute draußen sprachen, war es, als würden ihre Stimmen durch sämtliche Bretter des Hauses verstärkt, die wie eine Schallmuschel wirkten. »Bestimmt langweilt sie sich zu Tode und würde gerne mit uns im Auto fahren. Warum nehmen wir sie nicht mit nach Hause, dann kann sie zusehen, wie ich mit meinem Spielzeug spiele. So viele schöne Spielzeuge hat sie bestimmt noch nie gesehen.«

***

Weiter brachte der altjunge Mann ihr die rostige Kelle mit Wasser. Er kochte ihr Dosensuppe auf dem Spirituskocher, bewachte die Schlafzimmertür, drohte mit nicht vorhandenen Waffen und erstattete Sal immer sofort Bericht, wenn die Besucher in ihren staubigen Wagen über die Schotterpiste, die sie nicht sehen konnte, zur Hauptstraße, die sie erst recht nicht sah, zurück in die Stadt entschwunden waren. Er war der tüchtigste und verlässlichste Erwachsene, den Sal je gekannt hatte.

»Sie haben dir ein Album mit Fotos dagelassen«, sagte der altjunge Mann und warf die neuesten

Gaben auf den scheppernden Haufen der Vogelkäfige, wo sich Tag für Tag mehr ansammelte, Devotionalien für ein Freudenfeuer zum Ende der Zivilisation. »Sie haben dir nagelneue Großpackungen Unterhosen und weiße Socken für kleine Mädchen dagelassen. Ich habe ihnen gesagt, sie sollen nicht wiederkommen und ihren lästigen Freunden und Angehörigen nichts von dem Haus hier erzählen, aber ich glaube nicht, dass sie zugehört haben. Einigen habe ich sogar dein Autogramm gegeben, das ich in der Speisekammer auf ein Stück Küchenpapier gekritzelt habe, wenn keiner hinsah. Mit den Leuten komme ich allmählich zurecht, aber was ich mit dem ganzen Krempel machen soll, das werde ich wohl nie lernen. Chromblitzende Kaffeekannen und Bratpfannen. Abgegriffene Filmzeitschriften und Comics mit multiethnischen Superhelden. Sie behaupten, du hast bei ihnen gelebt oder bei jemandem aus ihrer Bekanntschaft, und sie wollen dich nicht wiederhaben oder so was, sie wollen nur sicher sein, dass es dir gut geht und dass du sie nicht vergessen hast. Und Fotos – da sind sie ganz verrückt drauf. Alle wollen Fotos machen. Von mir, der Haustür, dem Garten, dem Brunnen. Das waren die vielen Blitze, die du gesehen hast, kein Gewitter oder Wetterleuchten oder sonst etwas von Bedeutung. Einfach nur Leute mit japanischen Kameras, die aus diesem Haus ihre eigene Geschichte machen. Keine Sorge, kleines Mädchen; ich lasse nicht zu, dass sie dir zur Last fallen. Aber wenn sie wirklich höflich sind, lasse ich sie Aufnahmen von deinem Fenster machen. Dann kommt es ihnen nicht vor, als wäre etwas unerledigt geblieben. Denn wenn es den Leuten erst einmal vorkommt, als wäre etwas unerledigt geblieben, kleines Mädchen, dann kommen sie immer wieder. Frag mich nicht warum. Leute sind einfach so.«

Neuerdings roch der altjunge Mann nach desinfizierender Seife, Roll-on-Deo und Zahnpasta mit Fluor. Eines Morgens, nachdem er Sal das rostige Wasser gebracht hatte, ließ er sich auf zwei würfelförmigen, bleigrauen Vogelkäfigen nieder und schnitt sich mit einer Edelstahlschere die Haare. Er warf seine Flip-Flops fort und zog sich graue Turnschuhe an, mit zerrissenen gelben Schnürsenkeln, die aussahen, als hätte er sie im Garten ausgegraben. »Man kann sich ja nicht in Unterhosen erwischen lassen, wenn Besucher kommen«, erklärte er durch das knarzende Schnapp-schnapp der Schere. Selbst seine Hände waren glatter und fühlten sich nicht mehr wie Sandpapier an; offenbar rieb er sie mit Feuchtigkeitscreme ein. »Der erste Eindruck muss gut sein, sonst nehmen die Leute einen nie ernst. Sonst denken sie, du bist nur ein bescheuerter Wüstenbewohner, und achten gar nicht auf das, was du sagst. Aber Tatsache bleibt, dass *ich* derjenige war, bei dem du Zuflucht und Trost gesucht hast – nicht sie. Und es wird höchste Zeit, dass sie das begreifen. Sonst rede ich bald kein Wort mehr mit ihnen.«

Später am selben Tag putzte der altjunge Mann den Holzboden mit einem grünstieligen Besen und wischte Spinnweben von der Decke mit einem Spültuch, das er ans Ende einer alten Vorhangstange gebunden hatte. Er schnitt sich die Fingernägel mit einer Nagelschere. Er rasierte sich.

★★★

»Wann können wir sie sehen?«, fragten die Leute, machten ihre Softdrinkdosen auf der Veranda auf und verschütteten überall klebriges Kohlensäurezeug wie weltliches Weihwasser. »Könnten Sie denn nicht *ein*mal eine Ausnahme machen? Wir sind so weit gefahren.«

Der altjunge Mann klang jetzt nicht mehr so feindselig wie früher.

»Wenn ich für Sie seine Ausnahme machte«, erklärte er ihnen geduldig, »dann müsste ich für alle anderen auch eine Ausnahme machen.«

»Ich habe mir erzählen lassen, sie kann das Wetter und die Lottozahlen voraussagen.«

»Das interessiert mich beides nicht.«

»Hat sie je nach jemandem namens Margie Delaware gefragt? Vielleicht hat sie es unbewusst getan oder nur halb artikuliert. Sie könnte es auch im Schlaf gemurmelt haben, etwas wie ›Marzhy Delawhar‹, womöglich noch undeutlicher. Ungefähr so, wie ich es gerade gesagt habe. Ich tue ja nur so, als schliefe ich halb.«

»Sie sagt nie etwas. Wohl deswegen, weil ich sie nie etwas frage. Wir haben nicht so eine Beziehung.

Dass ich sie etwas frage und sie dann, Sie wissen schon. Dass sie dann antwortet.«

»Fragen Sie, ob sie etwas von meinem Vater gehört hat. Mein Vater ist in der Wüste verschwunden, da war ich nicht viel älter als sie jetzt. Aber anders als sie ist mein Vater nie zurückgekommen.«

»Ich frage sie nichts, in niemandes Namen.«

»Hallo! Kleines Mädchen! Bist du da drin? Kannst du mich hören? Ich heiße Sadie, und ich bin den weiten Weg von Detroit gekommen.«

»Sie könnten doch Ihre Orangenlimonade auch bei Ihrem Mann im Auto austrinken. Wenn er die Klimaanlage so weiterlaufen lässt, ist die Batterie bald leer.«

»Ich muss wissen, was mit Margie Delaware ist! Du musst es mir ja gar nicht genau erzählen! Du kannst in Bildern sprechen, wenn du willst! Ja, das fände ich sogar schön, wenn du in Bildern sprächest! Alles würde viel tiefer und interessanter klingen, ich hätte dann das Gefühl, dass ich selbst viel mehr an diesem Prozess der Enthüllung beteiligt bin. Und mein Vater – hast du meinen Vater dort draußen gesehen? Er ging in die Wüste, als ich ein kleines Mädchen war, und kam nie zurück!«

★★★

Der altjunge Mann erschien nun immer öfter mit einer gefalteten, gelesenen Zeitung in Sals Tür oder mit einem geriffelten McDonald's-Kaffeebecher. Er nähte Jeansflicken über die Löcher in seinem Hemd und seiner Hose und trug eine Lesebrille, die wohl einmal jemand anderem gehört hatte, mit bröckeligem Schildpattgestell. Er legte an Gewicht zu, rasierte sich zweimal täglich, experimentierte mit seinem Haar, das er in verschiedene Richtungen kämmte. Für einen Mann unbestimmten Alters hatte er noch schönes volles Haar. Er wusste nur nicht, wie er es frisieren sollte.

»Ich bin immer gern hier draußen gewesen, bevor wir so viele Besucher bekamen«, sagte er. Er sagte das nicht an Sal gewandt; eher sprach er mit den Besuchern. »Ich habe gern der Wüste gelauscht, ich mochte die knorrigen Josuabäume und die tiefere Stille in meinem eigenen Kopf. Eigentlich mache ich mir nichts aus Gesprächen und menschlicher Gesellschaft, beides ziemlich überschätzt für meine Begriffe. Andererseits ist es unglaublich, was alles passiert, wenn man wieder unter Mitglieder der eigenen Spezies geht. Als ob man eine Dusche nimmt oder sich eine neue Hose kauft. Jeden Morgen wacht man erfrischt auf. Man sieht Sachen in einem sonnigeren Licht. Etwa wie man aussieht oder wer man einmal gewesen ist.«

Während der ersten paar Wochen fühlte Sal sich im Zimmer des altjungen Mannes zu Hause. Sie nahm, was sie bekam, und bat nie um etwas anderes; wenn es dunkel war, benutzte sie den Nachttopf, schob ihn vor die offene Tür, wenn sie fertig war, und kehrte auf Zehenspitzen zu ihrer Pritsche zurück, denn sie wollte all die wispernden Tiere nicht stören, die sich unter den Fußbodendielen versammelten, wenn der altjunge Mann nicht hinsah. Sobald ein Brett knarrte, huschten die verborgenen Gestalten davon oder der altjunge Mann sagte etwas im Raum nebenan – stöhnte im Schlaf oder murmelte vor sich hin, für Sal klang alles gleich. Manche Geschöpfe leben im Tageslicht, andere im Dunkeln. Das hieß nicht, dass ein Geschöpf besser als das andere war. Das war einfach die Art, die ihre Mommys und Daddys ihnen beigebracht hatten.

⋆⋆⋆

»Ich kann diesen Müllhaufen hier nicht mehr sehen«, sagte der altjunge Mann eines Morgens, als draußen eben eine Kolonne ziemlich groß klingender Fahrzeuge über den Schotterweg heranrollte. »Die ganzen Sachen, die ich hätte tun sollen oder die ich nie zu Ende getan habe oder die ich tun wollte und dann doch nicht getan habe, egal was. Wie die Musselinvorhänge hier zum Beispiel; die sind ja nicht besser als Lumpen, die man hinter dem Haus findet. Oder die Löcher in der Wand, die eigentlich Fenster sein sollten. Ich könnte Glasscheiben einsetzen, das würde ich schon fertigbringen. Ich habe meine alten Werkzeuge draußen im Schuppen, wahrscheinlich sogar Kitt, wenn ich lang genug suche. Oder die verfluchten Bohlen auf der Veranda, wo überall die Nägel rausstehen, eine richtige Tetanuszuchtanstalt; ich kann nur staunen, dass sich da niemand verletzt hat. Gerade eins von diesen, na, diesen Kindern, die mit ihren Eltern kommen. Lass dir's gesagt sein, kleines Mädchen; in den nächsten Tagen wird sich hier an diesem Müllhaufen einiges ändern. Versteh mich nicht falsch – keiner erwartet, dass du mithilfst. Bleib einfach hier liegen, wenn dir das lieber ist. Aber ganz gleich, wie du dich entscheidest, ob du bleibst oder ob du gehst, ich werde noch hier sein, wenn du längst wieder fort bist. Da kann ich es mir doch in der Zwischenzeit auch gemütlich machen.«

Es begann mit einem gleichmäßigen, anhaltenden Hämmern in der Ferne, das mit kurzen, exakten Schlägen durch die klare, trockene Luft kam, als bräche jemand dicke Äste entzwei. Dann entwickelte es sich zu einem komplexeren Geräusch, Töne, die sich gegenseitig Gewissheit gaben: das Surren von Bohrer und Drehbank, das Ritsch-Ratsch von Säge und Hobel und Schmirgelpapier und Feile. Schließlich drang das Poltern einer Mischmaschine in Sals erwachendes Bewusstsein und setzte sich dort fest, bis es so allgegenwärtig war wie Licht, eine gleichmäßig rollende Bassbegleitung zu allem, was der altjunge Mann sagte und tat. Der Klang machte sich sogar in Sals Bewusstsein ihrer selbst breit, in jener Sphäre aus Luft und Raum und Wärme, die sie vor der Welt abschirmte und ihr Kraft gab. Sie hörte den schweren, rauen Atem des altjungen Manns, gleichmäßig wie die Schläge seines Hammers, wenn er Sachen durch den Garten schleifte, ins Haus brachte oder herausholte, und Sal stellte sich vor, dass sie dort saß wie die Königin auf einem riesengroßen Schachbrett, umgeben von knorrigen, kantigen Figuren, die in alle Richtungen geschoben wurden und eine Struktur zum Ausdruck brachten, die mathematisch und zugleich zielgerichtet war. Zaunlatten, Regalbretter, Tischplatten aus poliertem Mahagoni, Hühnerställe, Vorratsschuppen. Weniger denn je fühlte es sich wie Einsamkeit an. Nach und nach wurde ein Ort wie all die daraus, an denen Sal schon gewesen war.

★★★

»Schließe die Augen«, sagte der altjunge Mann an dem Tag, an dem er die Musselinvorhänge vom Fenster riss. »Oder halte die Arme vors Gesicht. Am Anfang wird dein Kopf das nicht mögen. Aber das ist eben das Tolle am Kopf, kleines Mädchen. Er gewöhnt sich an alles.« Sal hatte sich schon mit der Nase in die klumpige Matratze gedrückt, das Gesicht geborgen in klebrigen Laken und Federkissen; ihr Körper schmerzte, entblößt an den falschen Stellen, wie ein entwurzelter Baum, den man zum Sterben an der Straße liegen lässt. Es war kein Reißen zu hören; die Vorhänge fielen lautlos herab wie Schatten. Nach Wochen der Inkompetenz und Verwirrung hatte das Sonnenlicht sie gefunden. Nun würde es sie wieder bekannt machen.

»Schau dir die Welt da draußen an«, sagte der altjunge Mann. Er rückte dem Fensterrahmen mit einem Meißel zu Leibe. Es hörte sich an, als kratze jemand Muscheln von der Unterseite eines Bootes. »Wie viele Farben sie hat, wie viele interessante Formen und Laute. Riech nur den Sand, die Erde, ich glaube, das ist mein liebster Geruch auf der Welt. Feuchte eine Handvoll davon mit ein wenig Regenwasser an, halt es dir unter die Nase, dann weißt du, was ich meine. Das könnte man glatt essen. Und schau nur, da draußen: Berge. Wolken. Bäume. Pflanzen. Du kannst die nächste Großstadt von hier sehen, da, wo ich mit dem Finger hinzeige, siehst du? Das hat mit der flachen Landschaft und der trockenen Luft zu tun. Du siehst jeden, alles, was kommt, schon in hundert Meilen Entfernung. Da hat man Zeit genug, ihm schön aus dem Weg zu gehen.«

Es lohnte sich nicht einmal mehr, im Bett zu liegen, dachte Sal. Die Sonne starrte sie durch das glitzernde neue Glasfenster an, das Licht brach sich in Schlieren und Resten von Klebstreifen, und draußen im Garten standen Menschen wie Vögel und hielten ihre Kinder in die Höhe. *»Siehst du?«*, sagten sie immer wieder, als ob das die beiden wichtigsten Worte seien, die sie gelernt hatten. *»Siehst du?* Habe ich's dir nicht gesagt? Kannst du sie sehen? *Ich* sehe sie – siehst du sie auch?« Es war, als ginge ihnen aller Anstand verloren, wenn sie durchs Fenster schauten.

Bei diesem Sprung, den sie durch das Fenster machten und wieder zurück.

***

Während der altjunge Mann im Garten hämmerte, saß Sal auf der schiefen, krummen Veranda und unterhielt die Familien, die ihr Konserven als Weihegaben brachten, Zwanzigdollarnoten in weißen Umschlägen und Landkarten, auf denen einzelne Häuser mit funkelnden Klebesternen markiert waren.

»Hallo, ich heiße Sarah Fulton, und das ist mein Mann da drüben im Auto mit unseren Kindern Susie und Roy. Wir möchten das kleine Mädchen besuchen, das aus der Wüste gekommen ist. Meinst du, sie kommt nach draußen und sagt uns Hallo? Ich weiß, sie macht nie eine Ausnahme, aber vielleicht könntest du trotzdem fragen. Sag ihr, ich bin die Sarah Fulton, die in der Bank in Miguelito arbeitet. Bist du je in Miguelito gewesen, kleines Mädchen? Das ist die Reise nicht wert, glaub mir. Aber wenn du trotzdem mal nach Miguelito kommst, dann komm zur Bank und frage nach Sarah Fulton. Hier hast du meine Karte. Meine Telefonnummer steht drauf, aber leichter bin ich per E-Mail zu erreichen. Ich habe kaum noch die Zeit, ans Telefon zu gehen.«

Sal achtete eher auf die Zurückhaltenden, wie zum Beispiel den strubbelhaarigen Ehemann auf dem Fahrersitz des eingestaubten PT Cruisers, der auf einer Nintendo DSi spielte, oder die beiden Kinder auf dem Rücksitz, die ihm über die Schultern dabei zusahen.

»Kommen Sie später noch mal vorbei, ich werde sehen, was ich tun kann«, sagte Sal nach einer Weile zu der Frau. Sie fragte sich, warum die Frauen immer so nahe herankamen, als ob sie sie umarmen wollten, sogar wenn sie den Kopf reckten, um an ihr vorbei in das leere Schlafzimmer zu starren. »Wahrscheinlich schläft sie jetzt gerade oder beantwortet Briefe. Sie bekommt ständig Post von mitfühlenden Menschen wie Ihnen, aber sie hat nicht die Zeit, auf alle persönlich zu antworten. Manchmal schickt sie einfach nur eine Postkarte, ohne Unterschrift. Sie will keine Aufmerksamkeit auf sich lenken. Sie erwartet wohl irgendwie, dass Sie schon wissen werden, von wem die Karte ist.«

★★★

Die nächsten paar Tage saß Sal auf der frisch gescheuerten Veranda auf einem der neuen Leinen-Klappstühle von Land's End und sah zu, wie Leute kamen und gingen, während der altjunge Mann mit seinem Hammer der Hütte wieder Substanz verlieh, Strenge und Klarheit in alle Formen und Strukturen schlug, die sie umgaben. Und jedes Mal, wenn jemand aufbrach, stellte Sal sich vor, wie die Leute den kleinen Straßen folgten, die sie auf immer größere führten. Nach einer Weile würden wieder Häuser kommen, an Holzstäbe gebundene dünne Setzlinge, jeder davon auf einem gleichgroßen Rechteck aus grünem Gras. Wenn Sal mitführe, dürfte sie vielleicht mit den Knöpfen am Armaturenbrett spielen, das Radio oder den CD-Player einschalten. Die Leute würden ihr nichts von sich selbst erzählen, aber sie würden Sal ermuntern, ihre ganz persönlichen, tief empfundenen Gedanken mit ihnen zu teilen.

»Ich heiße Frank Morgan«, sagte der Mann vom Sozialamt. »Normalerweise arbeite ich nicht in der Kinderfürsorge, aber wir haben in letzter Zeit dermaßen viel zu tun, dass sie mich gebeten haben auszuhelfen. Normalerweise bin ich für Bewährungsfragen bei straffälligen Problemjugendlichen oder – diese Bezeichnung ziehe ich vor – präadulten Mehrfachstraftätern zuständig. Eine ziemlich deprimierende Arbeit und gar nicht das, was ich mir für mein Leben einmal vorgestellt habe. Im Laufe der Jahre habe ich mich mehrfach beurlauben lassen, um etwas Positives aufzubauen, das meinen natürlichen Fähigkeiten und Ressourcen besser entspricht, aber es ist nie etwas daraus geworden. Ich habe ein eigenes Restaurant aufgemacht, es mit Onlinehandel versucht, Kundenbetreuung, solche Sachen. Sogar als Lehrer habe ich gearbeitet, aber die Kinder heutzutage, meine Güte. Das hat mich wirklich runtergezogen. Und jedes Mal, wenn ich dachte, ich hätte etwas gefunden, um von dieser Bewährungshilfe wegzukommen, bin ich irgendwie doch wieder reingerutscht, als säße ich mit einem Boot im Hafen fest, weil der Wind immer vom Meer bläst. Also, ich stelle dir jetzt ein paar Fragen, dann gehe ich wieder. In ein paar Tagen komme ich zurück mit einem Gerichtsbescheid, den ich Mr. Ludwig zeigen werde, der da gerade die Fichtenholztür glatthobelt. Dann nehme ich dich mit und suche eine andere Unterkunft für dich. Es wird nicht gerade das Grand Hotel, aber besser als ein wackliges Bett in einer Hütte in der Wüste, die noch nicht einmal eine Tür hat, ist es auf alle Fälle. Ein Schritt nach dem anderen, so steht es auch in den Richtlinien. Frag mich nicht, welche Richtlinien. Das ist nur so eine Phrase, wenn man die Art von Arbeit macht, die ich mache.«

Vor Mr. Morgan hatte Sal nie einen Mann gesehen, der tagtäglich eine Krawatte trug und eine dunkelrote Lederaktentasche unter dem Arm hatte. Er kam in einem unförmigen chromgrauen Fahrzeug, das sie an den lidlosen Blick eines Frosches oder Molches erinnerte. In seiner Aktentasche waren mehrere ungeöffnete, zerbrochen rasselnde Tic-Tac-Döschen, ein flaches, grau geriffeltes Aufnahmegerät und ein Telefonbuch. Er legte das Telefonbuch auf die erste verfügbare Oberfläche (in diesem Falle den schiefen, fleckigen Klapptisch des altjungen Mannes) und stellte das Aufnahmegerät auf das Telefonbuch, als müsse er die Welt aus Worten, die sie aufzeichnen wollten, abstützen wie eine vieltürmige, aus Eishölzchen zusammengeklebte Burg.

»Hier spricht Frank Morgan im Auftrag der Kinderfürsorge des Staates Kalifornien, Aktenzeichen sieben sieben sechs drei vier. Interview A wie Apfel Schrägstrich vier vier. Joshua Tree County, dritter Oktober. Aufnahme.«

Als ginge er an Bord eines interstellaren Raumschiffs.

»Würdest du mir bitte deinen Namen sagen?« Es sah aus, als befrage er das Aufnahmegerät und Sal solle als Zeugin fungieren. »Und von wo du kommst?«

Sal hörte das gleichmäßige Pschh-pschh des altjungen Mannes, wie er draußen das Holz glatthobelte. Den konnte keiner aufhalten, dachte sie. Nicht mehr lange, und er würde sein wie jeder andere.

»Ich heiße Sal«, sagte sie. »Und ich bin unterwegs gewesen.«

»Unterwegs, Sal? Was war das für eine Reise?«

Manchmal wusste Sal nicht so genau, ob sie sich an Dinge erinnerte, die tatsächlich geschehen waren, oder ob sie sich das nur einbildete. »Häuser meistenteils. Amtliche Gebäude. Und Orte wie dieser hier. Orte, an die man sich nur erinnern kann, wenn man tatsächlich da ist.«

Sie breitete die Arme aus, als zeige sie, wie sie plötzlich in einem Blumenfeld Gestalt angenommen hatte. Hier bin ich, dachte sie. Du dachtest, ich bin da drüben, aber in Wirklichkeit bin ich die ganze Zeit hier gewesen.

»Wo kommst du ursprünglich her?«

»Von meiner Mommy und meinem Daddy.«

»Und wo wohnen sie? Und wann hast du sie das letzte Mal gesehen?«

»Vor langer Zeit. Als ich noch kleiner war.«

»Was weißt du noch von ihnen? Weißt du noch, wie sie mit Nachnamen hießen? Oder wie sie aussahen? Was hatten sie für ein Auto? Was haben sie gearbeitet?«

Keine Wolken am Himmel. Sal mochte es, wenn der Himmel so war: überall gleich.

»Ich weiß nichts Wichtiges mehr«, sagte sie schließlich. Frank Morgan war ein sehr geduldiger Mann; er hatte sich eine Antwort verdient. »Nur dass meine Mommy mich wohl nicht genug geliebt hat, sonst hätte sie mich behalten. Und mein Daddy fuhr einen wunderschönen weißen Lieferwagen mit so einem großen kalten Boden hinten und einer roten durchlöcherten Decke, als ob jemand mit einer stumpfen Schere Löcher reingebohrt hätte. Das war meine Decke, und keiner konnte mir die wegnehmen. Nicht mal, wenn sie sie mehr gebraucht hätten als ich.«

***

»Ich werde dein Zimmer so lassen, wie du es verlässt«, sagte der altjunge Mann ihr beim Abendessen. Er steckte weiße Kerzen in die Hälse von staubigen grünen Weinflaschen und zündete sie an und servierte lauwarme Hühnersuppe aus der Dose in zwei identischen weißen Keramikschalen, die kürzlich ein Lieferwagen vom Wal-Mart gebracht hatte, zusammen mit einem großen Korbsessel mit hohem, rundem Rücken und einem glitzernden Kofferset aus cremeweißem Kunststoff, einem nagelneuen Wischmop und einem grünen Plastikeimer. »Es soll kein Schrein oder so was werden. Ich lasse nicht zu, dass sie überall Bänder und Rosenkränze und diesen ganzen mexikanischen Krempel dranhängen. Und ich werde nur solche Leute reinlassen, die ich als authentisch bezeichne, Leute mit einem gefestigten Weltbild. Manche Leute, Kleine, begreifen nie, was die Welt wirklich ist. Manche sehen in allem nur sich selbst oder die Regierung oder Gott. Man sagt zu denen: He, riech mal an dieser Blume oder fühl mal diesen Stein, wie kalt der ist, und sie schauen einen an, als ob man übergeschnappt sei. Plötzlich fällt ihnen wieder ein, wo sie überall noch hinmüssen oder was unbedingt getan werden muss. Was natürlich, das weißt du besser als so ziemlich jeder andere, Kleine, ein Haufen gequirlte Kacke ist. Es gibt nur einen einzigen Ort, an dem es sich auf dieser blödsinnigen Welt zu sein lohnt. Und das ist immer der, an dem du schon bist.«

Der altjunge Mann trug neuerdings ausgebleichte langärmlige Hemden mit Buttondownkragen und dicke, verwaschene graue Latzhosen mit braunem Ledergürtel. Mittlerweile sah Sal ihn schon gar nicht mehr als altjungen Mann. Plötzlich war er jugendlich geworden, wie jemand, der in eine Zeitschleife geraten ist.

★★★

Sie holten sie in einem großen leeren Schulbus, dessen Seiten grüne und blaue Regenbogen und Sternschnuppen zierten. Die Motorhaube war mit beweglichen Plastikaugen und einer mohrrübenartigen Pappnase geschmückt, und als Sal die hohen, mit geriffelten Plastikmatten belegten Stufen hinaufkletterte, fand sie sich in einer langen, kathedralenartigen Kammer mit über einem Dutzend mit schwarzem Kunstleder bezogenen Bänken. Sal setzte sich hinter die Fahrerin, eine grauhaarige Frau namens Mal Granger, die eine blaue Arbeitskluft und schwarze Eisenbahnnägel als Ohrschmuck trug. Mal Granger hatte, wie sie berichtete, in jungen Jahren mehrere eigene Babys großgezogen, aber dann waren sie erwachsen geworden und fortgegangen.

»Und jetzt entschädige ich mich für den Verlust meiner Babys, indem ich kurzfristig Ersatzmutter für all die schönen fremden Kleinen bin, die sich auffinden«, sagte sie, beugte sich vor und zog den Hebel für die pneumatische Tür, die sich mit einem langen, allmählich verklingenden Zischen schloss. »Und ich kann mir gar keine bessere Arbeit vorstellen. Gerade wenn man dabei wundervolle kleine Mädchen wie dich rettet.«

Es war das lauteste Fahrzeug, das Sal je erlebt hatte. Man bekam den Eindruck, unglaubliche Entfernungen zurückzulegen, auch wenn das trockene, spärlich bewachsene Flachland im Schneckentempo vorüberzog. Es war eher eine Art Annäherung an Geschwindigkeit, als Geschwindigkeit selbst.

»Was möchtest du denn finden, wenn wir am anderen Ende ankommen?«, fragte Mal Granger und beobachtete Sal dabei mit großen Augen im Rückspiegel, dessen flaches Rechteck an der Windschutzscheibe hing wie eines von diesen Pop-up-Fenstern auf dem Computerschirm. »Ich stelle mir immer vor, wer ich wohl sein werde – du nicht auch? Jetzt zum Beispiel bin ich ich, aber wenn ich an dem abgestorbenen Baum da vorne ankomme, ping, dann bin ich jemand ganz anderes. Freust du dich darauf, deine Mommy und deinen Daddy wiederzusehen? Möchtest du gern zur Schule gehen und dich mit anderen Jungs und Mädchen, wie du eines bist, anfreunden? Wie wär's mit einem nagelneuen Fahrrad, Sal? Die kalifornische Kinderbehörde hat gerade eine neue Lieferung Fahrräder bekommen, und die suchen immer Jungs und Mädchen, die ein neues Fahrrad verdienen. Möchtest du zu diesen kleinen Glückspilzen gehören, Sal? Oder gibt es etwas anderes, über das du dich bei der Ankunft freuen würdest?«

Die Straßen schienen breiter zu werden, und je breiter die Straßen wurden, desto dicker blähte der Bus sich auf von den Erwartungen der Busfahrerin.

»Ich glaube, ich möchte kein Fahrrad«, sagte Sal nach einer Weile. Selbst die fremdartigen Kakteen und Büsche wurden immer größer und dichter hier draußen, wie Gemeinschaften des Wissens. »Ich wüsste gar nicht, was ich mit einem Fahrrad machen sollte, wenn ich eins hätte.«

Mal Granger schwebte hoch über der Welt in diesem großen, blauen Bus. Sie konnte hin- und herfahren, immer wieder auf denselben Straßen, und musste nie von ihrem rissigen Kunststoffsitz steigen. Das war nicht fair, dachte Sal. Manche Leute mussten in der Welt leben und manche nicht.

Das körperlose Grinsen im Spiegel wurde breit. Eine Berglandschaft aus Goldkronen und silbern geäderten Brücken.

»Jedes kleine Mädchen weiß, was es mit einem Fahrrad macht«, sagte Mal Granger, ohne sich umzudrehen. »Ich weiß zwar nicht viel von Kinderpsychologie, Sal, aber das weiß sogar ich.«

Die lange Straße

Ihr fiel nichts ein, was sie vermisst haben könnte. Es gab natürlich Häuser, alle auf gleich großen rechteckigen Grundstücken. Bäume und Telegrafenmasten sowie Vögel, die zwischen beidem nicht unterscheiden konnten. Spielzeug im Garten, Autos in den Auffahrten, Blätter im Rinnstein und Sonnenlicht auf den regenfeuchten Keramikziegeln der Dächer. Und wohin sie auch schaute, trafen Himmel und Häuser sich in vorhersagbaren Winkeln wie Muster in einem Kaleidoskop. Hunde bellten, Katzen kräuselten auf Zaunpfosten ihre Schwänze, bleiche weiße Schnecken krochen zwischen Blumentöpfen und Plattenwegen. In der vormittäglichen Stille schienen die Straßen unbelebt. Aber nur weil Sal die Leute nicht sehen konnte, hieß das nicht, dass sie nicht da waren.

»Es ist ganz normal, wenn du dir anfangs ein wenig fremd vorkommst. Sie wohnen dort drüben, in dem Haus mit der roten Tür und den blauen Gehwegplatten. Sie haben versucht, ein weiteres Kind zu bekommen, aber eins führte zum anderen, und ich weiß nicht, ob sie es jetzt überhaupt noch versuchen. Nicht dass sie aufgegeben hätten. Sie müssten – nun, ich will nicht sagen einen Schlussstrich ziehen. Aber sie bräuchten Klarheit. Einsehen, dass ein Kapitel zu

Ende gegangen ist und ein neues anfängt. Da könntest du eine Hilfe sein, Sal. Aber keine Sorge. Du bist zu nichts verpflichtet. Du findest die Lösung, die du finden musst, und sie finden die, die *sie* finden müssen. Ihr sollt es nur eine Zeitlang unter demselben Dach versuchen, verstehst du?«

Es war wie die Autofahrten mit Mrs. Mayhew, nur dass sie jetzt nirgendwohin fuhren. Frank Morgan umrundete mit ihr einen Häuserblock, und dann umrundete er einen zweiten. Manche der Gärten waren mit Hecken eingefasst. Sal fand, dass es wie ein Brettspiel mit grünen Feldern und gelben Klötzen aussah. Ein leichter Nieselregen durchdrang alles und gab der Luft eine körnige Textur.

»Hier bin ich schon gewesen«, sagte Sal leise, obwohl sie wusste, dass es nicht stimmte – sie fand, sie sollte so etwas aus Höflichkeit sagen. »In einem von den Häusern hier, oder denen da drüben. Das Blumenbeet da, die gelben Blumen. Da waren einmal zwei Damen mit einer grünen Ottomane. Manchmal habe ich auf der grünen Ottomane geschlafen und manchmal zwischen den beiden Damen auf einer schmalen, klumpigen Matratze mit zu vielen Decken.«

Sal merkte, dass sie flüsterte. Sie wollte nicht, dass Frank Morgan in seine Aktentasche griff und das flache graue Tonbandgerät einschaltete. Sie wusste nicht, ob er sie hören konnte oder nicht. Wahrscheinlich spielte es keine Rolle.

»Andere lieben lernen ist ja nicht gerade ein Spaziergang«, sagte Frank Morgan eben. Sie folgten den kleinen baumgesäumten Straßen, einer nach der anderen, immer hin und zurück. »Aber so sind die Menschen nun einmal. Wenn sie keine dauerhaften Beziehungen und Familienverbände bilden, können sie nicht überleben, und ihre Kinder genauso wenig. Entweder lernt man Formen der Teilhabe, schickt Weihnachtskarten, geht zur Messe, oder man verschwindet von dieser Erde ohne eine Spur. Also was meinst du, Kleines? Sollen wir reingehen und es versuchen?«

Sie hielten vor einem Haus, das mit jedem Mal, das Sal dort vorbeigekommen war, vertrauter geworden war.

»Okay«, sagte Sal. »Wir versuchen es.«

Okay war ein Allzweckwort. Man konnte es in den unterschiedlichsten Situationen gebrauchen. Man legte sich damit auf nichts fest.

Frank Morgan »sah nachdenklich aus«, wenn auch nur kurz. Er »runzelte die Stirn«. Er »schnalzte mit der Zunge«. Er stieß einen tiefen Seufzer aus, als habe ein Lufttank in seinem Inneren ein Leck. Ein paar Augenblicke lang stand auf seinem Gesicht absolut nichts geschrieben.

Sie hatten bereits am Rinnstein gehalten.

»Du musst da nicht reingehen, wenn du nicht möchtest. Ich warte so lange, wie du willst.«

Sal überlegte, wie lang das wohl wäre.

Das Haus dort drüben.

Und sie da drin.

★★★

Es war so schlimm, wie sie erwartet hatte. Es gab ein großes Zimmer mit Holzmöbeln und dunklen Vorhängen und auf der anderen Seite des Flurs ein rosa Kinderzimmer mit rosa Vorhängen. Rosa Bettüberwurf. Rosa Stoffhasen in den Regalen. Rosa Schuhe im Schrank. Der Mann und die Frau folgten ihr überallhin, aber sie kamen ihr nie zu nahe und fielen nie zu weit zurück, ganz als scheuchten sie eine große, bauschige Seifenblase vor sich her. Sie waren wie kleine Kinder – aber an der Oberfläche mit Erwachseneneigenschaften ausgestattet. Sie konnten laufen. Sie konnten reden. Sie konnten zur Arbeit gehen und Rechnungen bezahlen. Aber ihr Verstand war noch nicht vollständig ausgeprägt. Anscheinend konnten sie nicht ohne Sal leben, ganz als ob Sal die Mutter sei und sie seien die Kinder.

»Wenn ein Mann und eine Frau einander lieb haben«, erklärte die Frau und wischte sich dabei mit einer langen Reihe babyblauer parfümierter Papiertücher die Tränen ab, »dann wächst ein Baby im Bauch der Mutter, bis es groß genug ist und herauskommen kann.« Der Mann und die Frau saßen Sal an einem weißen Resopaltisch gegenüber, in einer großen glänzenden Küche, in der Gerätschaften und Konservendosen schimmerten. »Dann geben sie dem Baby einen Namen und richten ein Zimmer für das Baby her, und wenn das Baby größer wird und seine Eigenart entwickelt, dann lernen sie das Baby sogar noch mehr lieben. Sie leben ihr ganzes Leben nur für das Baby, das ihnen allmählich, nun, das ihnen allmählich immer ähnlicher wird. Es wird ein kleines Mädchen mit einer eigenen Persönlichkeit daraus und einem eigenen Willen. Ein kleines Mädchen wie du, Sal. Ein kleines Mädchen mit wunderschönem blondem Haar und frischer Haut und – aber ich wollte nicht emotional werden, entschuldige. Ich hatte mir versprochen, dass ich nicht emotional werde, aber jetzt kann ich anscheinend nicht aufhören. Warum sieht sie uns die ganze Zeit so an? Warum kann ich sie nicht in den Arm nehmen? Ich verstehe ja alles, aber nicht, dass ich sie nicht in den Arm nehmen kann.«

Der Mann trug ein blaues Jeanshemd und helle Cordhosen. Er saß ganz dicht bei der Frau und hatte ihr seinen massigen linken Arm um die Schulter gelegt. Mit der massigen rechten Hand hielt er einen Becher Kaffee. Es war ein blau glasierter Steingutbecher, irgendwie organisch geformt. Der Mann hielt den Becher beinahe genauso zärtlich, wie er die Frau hielt.

»Hab Geduld, Schätzchen«, sagte der Mann. Sal wusste nicht, ob er damit sie oder die Frau meinte. »Wir müssen geduldig sein. Wir müssen überlegen, was für sie das Beste ist.«

Sal blickte nach draußen, durch die schimmernden Lamellen der Jalousie, die wie eine hochtechnisierte Rüstung die Küche abschirmte. Durch die schmalen Sonnenlichtsegmente sah sie Frank Morgan draußen in seinem Wagen sitzen und eine Zeitschrift lesen. Sal hoffte für ihn, dass es keine zu komplizierte Zeitschrift mit zu viel Text war. Die Dinge hier waren ja auch so schon kompliziert genug.

Die Frau wühlte sich durch immer neue Kleenex und raffte die schmutzigen blauen Knäuel in beiden Händen und unter dem Arm zusammen. Als ob sie unbedingt etwas in der Hand halten müsse, das keinerlei Wichtigkeit hatte: Abfall, Müll, Dreck, Sal, was auch immer. Nie war Sal eine Frau mit dermaßen frivolen Gefühlen begegnet. Sie war sich nicht sicher, wie lange sie diese Frau aushalten würde.

Die Frau starrte den Mann an, und der Mann starrte Sal an.

»Wann muss sie wieder weg? Können wir ihr etwas zu essen machen? Vielleicht sollten wir ihr noch mal das Kinderzimmer zeigen.«

»Wir gehen es ruhig an und zwingen nichts herbei. Drängen sie nicht. Ganz wie Mr. Morgan gesagt hat.«

»Ich möchte ihr die Bilder zeigen.«

»Du darfst ihr die Bilder nicht zeigen.«

»Warum kann ich ihr die Bilder nicht zeigen?«

Der Mann lächelte Sal leise zu. So weit hatten sie sich immerhin verständigt.

»Weil die Bilder zeigen, wer sie *früher* war«, sagte der Mann, und die Frau weinte an seiner Schulter. »Und wir wollen ihr ja beibringen, wer wir alle drei *jetzt* sind.«

★★★

Frank Morgan setzte sie jeden Nachmittag in der Mittagspause dort ab und kehrte ein paar Stunden später zurück. Manchmal saß er in seinem vor dem Haus geparkten Wagen, oder er fuhr um den Block und hörte sich Selbstverwirklichungskurse auf dem CD-Player an, ganz als umkreise er den Rand eines Schwimmbeckens und beobachte sie, wie sie ihn beobachtete, während sie das Schwimmen lernte. Sal schaute sich mit der Frau Zeichentrickfilme an oder half beim Essenmachen für den Mann, wenn er von der Arbeit nach Hause kam, in Anzug und Krawatte und wütend auf alle, mit denen er zusammenarbeitete. Nach einer Weile parkte Frank Morgan nicht mehr draußen am Rinnstein. Dann kam er überhaupt nicht mehr zurück. Er hatte nie gefragt, ob sie dortbleiben wollte. Er nahm es einfach irgendwie für selbstverständlich und ging fort.

★★★

Manchmal kamen der Mann und die Frau abends mit Klappstühlen in Sals Zimmer und betrachteten Sal, bis sie in dem rosa Bett eingeschlafen war. Sal fragte sich, was sie wohl getan hatten, bevor sie gekommen war und für ihre Unterhaltung gesorgt hatte.

»Sollen wir dir eine Geschichte erzählen?«, fragte die Frau.

»Ich glaube nicht.«

»Oder dir ein Lied vorsingen?«

»Die meisten Lieder mag ich nicht. Und an die Lieder, die ich mag, kann ich mich nicht erinnern.«

Der Mann und die Frau machten nicht den Eindruck, als ob sie allzu bequem saßen. Sal verstand nicht, warum Erwachsene sich auf unbequeme Stühle setzten. Hatten sie denn keine besseren? Wozu war diese ganze Erwachsenenmacht gut, wenn sie nicht einmal etwas Bequemes zum Daraufsitzen finden konnten?

Manchmal hatten sie genug von Sals Antworten und hielten sich lieber an die eigenen.

»Sollen wir die Decke feststecken?«

»Warte noch eine Weile.«

»Vielleicht schläft sie dann besser?«

»Sie schläft auch so gut. Warum freuen wir uns nicht einfach, dass sie wieder da ist, und lassen uns mit allem anderen Zeit? Ich weiß nicht, was dieses ganze Befummeln damit zu tun haben soll. Wenn ich von der Arbeit zurückkomme, muss ich einfach mal eine Weile mit meinen Gedanken allein sein. Ich muss nicht dauernd jemanden anfassen.«

Der Mann und die Frau schliefen am anderen Ende des Flurs, wo sie ein gemeinsames Bad mit Dusche und Toilette hatten. Sie nannten ihr Badezimmer das Elternbadezimmer; manchmal, wenn sie in Gedanken nicht bei der Sache waren, nannten sie Sals Badezimmer das »Gästebad« oder das »rosa Bad« oder das »Bad vorn im Flur«. Nach einer Weile fasste Sal einen Entschluss. Sie würde das »Gästebad« nicht mehr benutzen. Sie bestand darauf, dass sie auf die Elterntoilette ging.

»Ist genug Papier da?« Die Frau sorgte sich wegen allem, was Sal tat, sobald sich eine Tür zwischen ihnen schloss. »Bist du sicher, dass du keine Hilfe brauchst?«

Sal mochte das Elternbad, weil es so groß war und weil der Toilettensitz aus lackiertem Mahagoni sich so warm anfühlte. Mit heruntergezogenem Höschen auf der Toilette zu sitzen, während die Frau auf der anderen Seite der Tür war – das war so ziemlich das Beste, was dieses fremde Haus zu bieten hatte. Sal sah zu, dass sie dieses Erlebnis, so oft es ging, genoss.

»Ich mache das nicht zum ersten Mal«, sagte Sal ruhig. »Ich wüsste nicht, warum ich jetzt Hilfe brauchen sollte.«

Die Frau war immer kurz vor dem Weinen: ob Sal zu nahe oder zu weit weg war, ob Sal im Bad oder in der Küche war, ob Sal fernsah oder aus dem Fenster blickte. Es war, als sei alles an Sal schmerzlich, belastend und traurig.

»Ich will nicht in deine Privatsphäre eindringen, Liebling. Bitte sag es nicht deinem Vater. Du weißt, wie wütend dein Vater wird, wenn er glaubt, ich hätte deine Privatsphäre verletzt.«

Ein Gemälde mit einem grünen Baum hing an einer der Badezimmerwände wie ein Fenster in eine andere Welt. An einer anderen Wand hing ein kleines, gerahmtes, untersetzergroßes Farbfoto von einem sehr alten Mann neben einer sehr alten Frau vor einem weißen Holzhaus. Sal war sich so gut wie sicher, dass sie in dem Haus schon einmal gewesen war, dass genau dieser alte Herr und diese alte Frau sie willkommen geheißen hatten. Und genauso sicher war sie sich, dass sie davon besser niemandem erzählte.

Die Frau wartete auf der anderen Seite der Tür. Sie begann zu weinen, leise, tränenreich, etwas Feuchtem in ihrem Inneren zugekehrt wie eine Göttin der Traurigkeit. Sal konnte es nicht ertragen, wenn die Frau so nahe neben ihr weinte. Es verdarb die Freude am Alleinsein.

Sie wischte sich dreimal den Po, selbst wenn sie nichts produziert hatte außer einem Gefühl der Unabhängigkeit. Dann ging sie wieder nach draußen und beobachtete, wie die Frau mit dem Weinen aufhörte. Die Frau schnäuzte sich. Anscheinend brachte die Frau ohne Sals Hilfe wirklich gar nichts zustande.

»Nun«, sagte die Frau laut und klatschte in die Hände, als sei ihr gerade ein ganz persönliches Wunder gelungen. »Wie wär's, wenn wir Plätzchen backen würden, oder wir braten ein Wok-Hühnchen für deinen – na ja, meinen Mann. Und dann können wir uns vielleicht noch ein paar Zeichentrickfilme im Fernsehen ansehen.«

★★★

Nie zuvor hatte Sal sich so in das Leben anderer Leute verstrickt gefühlt: ihre Träume, ihre Erwartungen, selbst ihre Lebenseinstellung. Es war, als lerne

Sal jetzt, dass sie den Menschen nicht mehr entkommen konnte. Ganz gleich, wie weit fort sie ging, sie fanden sie. Sie wollten ihr etwas beibringen. Sie wollten sie lieben. Sie wollten ihr vorschreiben, was sie essen und was sie anziehen sollte.

»Bist du das?«, fragte die Stimme am Telefon. »Die Stimme würde ich überall erkennen. Bist du das wirklich?«

Dem Telefon konnte Sal nicht widerstehen. Es war das Einzige, worauf sie sich jetzt noch freute.

»Ja«, sagte sie, ein wenig atemlos, stand in dem großen Haus und kam sich vor wie ein vergrabener Schatz ohne Landkarte. »Natürlich bin ich das. Wer sonst soll es sein?«

Die Frau kam ihr von der Küche aus nach, wischte sich die Hände an einem weißen Tuch ab. »Ist das dein Vater? Wenn es dein Vater ist, will ich noch mit ihm sprechen, wenn du fertig bist.«

Sal wandte sich von der Frau ab. Die Frau musste begreifen, dass es Orte gab, an die sie ihr nicht nachkommen konnte. Und schließlich brauchte sie sich keine Sorgen zu machen. Sal kam ja immer zurück.

»Dachte ich mir doch. Deine Stimme habe ich schon erkannt, bevor du den Hörer abnahmst. Du kleine Hexe. Du verfluchte, verdorbene Blutsaugervampirhexe. Was du alles über mich gesagt hast, was für Lügen du verbreitet hast. Ich weiß, wo du wohnst, Stephanie oder Sally oder wie du dich jetzt nennst, du verlogenes kleines Biest. Selbst bei deinem Namen hast du gelogen. Ich finde dich, wann immer ich will. Ich habe Freunde in diesem Beruf, Kollegen, die meinen Rang respektieren. Auch wenn du noch so viele Lügen über mich verbreitet hast, über mein Betragen. Kleine Hexe. Und wenn ich hier rauskomme, wenn ich diese verfluchte Fußfessel von meinem Knöchel kriege, damit sie mir nicht mit ihren verfluchten Satelliten nachschnüffeln können, dann komme ich und hole dich, dann werde ich dich bloßstellen wegen all der Lügen, die du erzählt hast, und danach kann ich in mein Leben zurück. Ich werde dafür sorgen, dass endlich alle erfahren, wer du in Wirklichkeit bist, nämlich nicht die Erlöserin von all unserem Übel, wie ich mir in meiner Blindheit ursprünglich weismachte, sondern die Künderin des Dunkels, die Sendbotin des Schmerzes und des schlechten Glaubens. Der gestürzte Messias. Der Schänder des Sakraments. Der, der an nichts glaubt. All diese Geschichten über dich habe ich in meinen Träumen gehört, aber ich wollte sie nicht glauben. Ich war zu sehr verblendet von meiner Eitelkeit. Ich war zu sehr gefangen in meiner Selbstsucht und Gier.«

Sal wusste nicht, was sie ihr sagen sollte. Das war das Schlimme an Leuten. Wenn man sie einmal kannte, konnte man es nicht mehr rückgängig machen. Und selbst wenn es eine Möglichkeit gegeben hätte, sie nicht mehr zu kennen, hätten *sie* einen immer noch gekannt.

Schließlich sagte Sal: »Es tut mir leid, wenn Sie das so sehen, Mrs. Mayhew. Aber jetzt, wenn Sie nichts dagegen haben, muss ich der Frau helfen, bei der ich jetzt wohne. Heute Abend gibt es Hühnchen kurzgebraten. Ich habe nie zuvor einen Wok benutzt. Und es hat ja keinen Zweck, das noch länger hinauszuschieben.«

★★★

Sie gingen in laute Pizzarestaurants, wo Spielautomaten und Popmusik schepperten und Kinder zwischen durchsichtigen Plastikwänden krabbelten wie Hamster in einem Labyrinth. Sie gingen ins Kino, in den Park, zu öffentlichen Sandkästen und Spielplätzen und Schwimmbädern. Die Schwimmbäder waren besonders quälend, mit anderen Kindern Schulter an Schulter dicht gepackt, alle quietschten und bespritzten einander mit blauem Chlorwasser. Sal stand in der Mitte des Planschbeckens und beobachtete den Mann und die Frau, die sich immer in einigen Schritten Entfernung hielten.

»Versuch mal den Kopf unter Wasser zu stecken«, sagte der Mann.

»Keine Angst«, sagte die Frau. »Das ist nur Wasser.«

Große Kinder mit fetten Armen und Beinen tauchten raketengleich auf, glitzerten wie Seehunde und sprühten blaues Wasser. Riesige luftgefüllte Bälle kugelten vorüber, ziellos konsequent wie verstandesbegabte Geschöpfe. Als wäre man dem behäbigen Fluten und Wogen einer Waschmaschine ausgesetzt, schaumig, gestaltlos, alles vermischte sich mit allem. Sal kam sich wie eine Muschel vor, vom Meer an den Strand gespült und wieder zurückgeholt, hochgehoben und fallengelassen von Strömungen, die nicht ihre eigenen waren. Sie verstand nicht, warum sie am flachen Ende bleiben sollte. Warum sorgten sie sich so, warum ließen sie sie nie aus dem Blick? Von Wasser wurde man doch nur sauber.

Tagsüber saß die Frau mit Sal am Küchentisch und ermutigte sie zu künstlerischer Arbeit. Sie verschaffte ihr Klebstofftuben, Buntstiftsortimente in Plastikhüllen, Buntpapier und Malkreide und Filzstifte und Schere. Dann setzte sie sich ans andere Ende des Tisches und sah Sal erwartungsvoll an.

»Mir ist nicht nach Malen«, sagte Sal. »Ich wüsste nicht, was ich malen sollte, selbst wenn mir danach wäre.«

Die Haut im Gesicht der Frau war trocken und schuppig geworden, besonders um Augen und Nase. Es war, als hätten die Tränen dem Gesicht seine Beweglichkeit genommen. Sie wurde alt, sie sah verbraucht aus.

»Es muss ja nichts Bestimmtes sein«, sagte die Frau. »Es muss kein Bild von etwas sein, was du gesehen hast. Male einfach, was dir gefällt. Farben vielleicht. Oder Formen. Wenn es dir peinlich ist, dann hängen wir sie nicht auf. Wir werfen sie in den Müll, und du siehst sie nie wieder.«

Sal spürte, wie es ihr kalt den Rücken hinunterlief. Sie dachte an das Fahrrad in der Garage, mit dem gepolsterten rosa Sattel und den rosa Quasten am Lenker. Die Frau blickte Sal nicht an. Das brauchte sie nicht. Zum ersten Mal, seit Sal bei ihr lebte, besaß die Frau Gewicht und Volumen. Sie war nicht mehr nur das ziellose Etwas, das auf die Rückkehr des Mannes wartete, damit er ihr sagte, sie solle aufhören zu weinen. Sie hatte Persönlichkeit bekommen. Sie nahm Sal als ihren Gast bei sich auf.

»Bevor du fortgingst, war ich Kunstlehrerin in der Grundschule«, sagte die Frau und zupfte eine Hautschuppe am linken Nasenflügel ab. Es war offenbar das Unbedeutendste, was die Frau sich je hatte sagen hören. »Ich habe so viele Kinderzeichnungen gesehen, ich schaue mir deine gar nicht erst an. Wenn du nicht willst, muss ich nicht hier sitzenbleiben. Ich gehe nach nebenan und sehe fern.«

★★★

Mehrere Tage lang malte Sal Bilder auf der rutschigen Resopalplatte, ohne Vergnügen, ohne schlechtes Gefühl, kritzelte Figuren und Schatten von Figuren, mit der verlässlichen Regelmäßigkeit eines Uhrwerks, als tippe sie Zahlen auf einen Computerschirm. Und kein einziges Mal sagte die Frau ihr, was sie tun sollte und wie sie es tun sollte. Sie stellte nur die Art von Fragen, die jeder vernünftige Mensch gestellt hätte, wenn er die Art von Bildern zu Gesicht bekommen hätte, die jemand wie Sal malte.

»Was ist das?«

»Eine Straße.«

»Und wo führt sie hin?«

»Nirgendwohin. Sie führt an der Stadt da vorbei.«

»Und was ist in der Stadt?«

»Leute. Und Häuser mit Gärten.«

»Sind das freundliche Leute?«

»Das weiß ich nicht. Ich habe sie noch nicht gemalt.«

»Sind es böse Menschen? Tun sie dir etwas Böses an?«

»Die meisten Leute sind gar nicht so schlimm. Aber man sieht sie nicht – nur sie sehen einen. Sie gehen nicht über dieselben Straßen wie man selbst. Sie wohnen in den Häusern hier, und das sind ihre Lampen. Und das sind die Fenster, von denen aus sie sehen, wie man vorübergeht.«

»Was ist das?«

»Eine Straße in diese Richtung. Und die andere Straße, die führt da hin.«

»Und das?«

»Ein Schild.«

»Was steht auf dem Schild?«

Sal überlegte einen Moment lang. Sie hatte so viele Schilder gesehen. Sie war sich nicht sicher, ob sie sich an ein bestimmtes erinnerte oder ob sie eines erfand, das für alle Schilder stand, die ihr je begegnet waren.

»Da steht: Auf dieser Straße weitergehen. Oder auf der Straße da weitergehen. Auf lange Sicht kommen sie beide ans Ziel. Dir wird nie etwas Schlimmes zustoßen. Am Ende findest du wieder nach Hause zurück.«

⋆⋆⋆

Sie malte Bilder von Leuten mit Bart, von kahlköpfigen Leuten, Leuten mit Flügeln, Leuten mit brennenden Leibern, Leuten mit Hunden an der Leine und Leuten, die in grotesk geformten Automobilen auf der Straße unterwegs waren, die versuchten, den Weg zum Kaufladen und wieder zurück zu finden. Sie malte Bilder von Schaukeln und Rutschen, vom Vollmond, der von Bergspitzen herabstarrte, von Wellen am Strand und Bäumen in der Wüste. Sie malte Bilder von einem Kojoten mit orangerotem Schwanz, von einer Waschmaschine mit rundem Bullauge und einer flachen, trockenen Landschaft, der Erdboden aufgebrochen in großen, zackigen Rissen. Sie malte Bilder von zwei kleinen Mädchen, die über einen Berg gingen. Sie malte Bilder von einem kleinen Mädchen, das durchs Rückfenster eines Autos zum Abschied winkte.

»Wer ist das kleine Mädchen?«

»Meine Schwester.«

»Wie heißt sie?«

»Das weiß ich nicht mehr. Vielleicht hat sie es nie gesagt.«

»Was würdest du ihr erzählen, wenn du sie wiedersähest? Würdest du dich freuen, sie zu sehen? Würde *sie* sich freuen, *dich* zu sehen?«

Sal fiel es leicht, Sachen zu malen. Viel schwerer war es, zu erklären, was sie bedeuteten.

»Ich würde ihr wahrscheinlich erzählen, was man kleinen Mädchen immer erzählt. Dass alles gut wird. Nur keine Sorge. Dein Daddy ist bald wieder zurück.«

★★★

Etwas kam auf Sal zu, doch keiner konnte Sal sagen, was es war oder wie schnell es da sein würde. Es war, als erwache man auf einer finsteren Straße mitten in der Nacht und höre in der Ferne das Geräusch eines Motors. Sie waren unterwegs. Sie wussten, wohin sie gingen, und sie selbst wusste, wohin sie ging, und wenn sie beide lange genug auf ihrer Bahn blieben, würden sie sich begegnen, denselben Bedingungen verpflichtet, keinem Gedanken verantwortlich außer dem eigenen. Und genauso plötzlich wären sie wieder fort, und man stünde an einer anderen Straße, starrte in eine andere Richtung. Wieder das Geräusch eines Motors in der Ferne. Wieder eine Absicht in der Nacht.

»Bitte warte hier«, sagte Mrs. Abrams. »Ich bin gleich zurück. Da sind Zeitschriften, Geduldspiele, sogar ein Brettspiel oder zwei. Wenn es Schwierigkeiten gibt, drück den roten Knopf auf dem Schreibtisch. Wie du siehst, ist noch ein weiteres kleines Mädchen im Zimmer, mit dem kannst du spielen. Ich überlasse es ganz euch beiden, wie ihr das macht.«

Sal betrachtete das kleine blonde Mädchen auf dem Sofa aus der Ferne, als schaue sie bei einem Fernglas durch das falsche Ende. Das kleine Mädchen blickte nicht auf. Es versuchte, sich eine zusammengerollte Zeitschrift in den Mund zu stecken. Die Zeitschrift war rundum mit Schokolade und Himbeersoße beschmiert.

»Natürlich vertraue ich Ihnen«, sagte Sal zu niemand Bestimmtem. »Aber selbst wenn ich das nicht täte, würde ich mich in dem Zimmer hier immer noch sicher fühlen.«

Es war kein großer Raum. Man hätte nicht dort wohnen können. Es gab einen großen Spiegel, aber keine Fenster. Vielleicht war Mrs. Mayhew hinter dem Spiegel oder sogar Großmutter. Das wäre ein Beispiel für das, was die Erwachsenen »den Spieß umdrehen« nannten. Das wäre interessant, wenn man jemanden so Raffinierten wie Mrs. Mayhew damit hereinlegen könnte.

Das kleine Mädchen ließ ziellos seine Beine baumeln und betrachtete seine Knie. Es hatte ein blaues Kleid an. Sein Haar war lang und roch gut, und Sal fühlte sich einsam und armselig. Ich glaube, ich habe ihr nie das Gesicht mit einem feuchten Lappen abgewischt, dachte Sal. Und jetzt schau sie dir an. Blond und ordentlich und hübscher als ich.

»Nicht aufblicken«, sagte Sal leise und setzte sich

neben sie auf das Sofa. Sie baute eine dichte mentale Schutzwand zwischen ihnen beiden auf. »Lass sie nicht merken, dass du mich kennst. Tu einfach so, als ob ich gar nicht hier bin.«

Das kleine Mädchen sah aus, als hörte es nicht zu. Es war entweder sehr aufmerksam oder sehr unaufmerksam – welches von beiden wusste Sal nicht.

Sal saß mehrere Minuten lang schweigend da, die Hände im Schoß gefaltet. Jetzt war Zeit offenbar wieder von Bedeutung. Sie war immer am deutlichsten zu spüren, wenn sie im Begriff war zu verschwinden.

»Wir haben unser Buch nie zu Ende geschrieben«, flüsterte Sal sanft, »und jetzt ist es zu spät.« Wenn ein Fremder vorbeigekommen wäre, hätte es ausgesehen, als spreche sie mit sich selbst. »Alles, was ich gesehen und getan habe, und all die Leute, die mich kennen – die sind jetzt nur noch für dich von Belang. Verzeih mir, wenn ich dir je selbstsüchtig oder zu sehr mit mir selbst beschäftigt vorgekommen bin. Ich wollte nur, dass sich jemand an mich erinnert und jemand weiß, wer ich wirklich bin und wie ich wirklich empfinde, aber ich sehe, dass das jetzt nicht mehr von Bedeutung ist, ja es ist jetzt sogar mehr oder weniger unmöglich. Vergiss also bitte alles, was ich dir gesagt habe. Tu so, als wären wir uns nie begegnet. Du musst dich nicht mehr an mich erinnern, denn *ich* werde mich immer an *dich* erinnern, an all die Orte, die wir gemeinsam gesehen haben, und all die Dinge, die Daddy für uns getan hat. Schließlich ging es doch dabei nie um uns. Der Einzige, um den es dabei gegangen ist, war Daddy.«

★★★

»Ich habe dich mit dem Besten, was ich in mir hatte, geliebt«, hörte Sal Daddy sagen, als sie zu ihrem Zimmerfenster hinaus in das Dunkel der Nacht starrte. »Aber manchmal ist unser Bestes nicht gut genug, Schatz. Wir sind zu schwach, um die Menschen zu lieben, die uns wichtig sind. Uns geht der Dampf aus. Vor allem fehlt uns die Kraft und die Überzeugung, jemanden auf Dauer zu lieben. Dann besser gar keine Liebe, denken wir. Besser als an dieser todtraurigen Liebe zu leiden, die wir nicht verkraften können.«

Bis der Mond aufging, hatten der Mann und die Frau meist schon das Licht ausgemacht und waren in ihr Schlafzimmer am anderen Ende des Flurs gegangen. Selbst wenn Daddy mich wiederfindet, dachte Sal, wird er nicht mehr so leicht ins Haus kommen wie beim ersten Mal. Beim ersten Mal haben sie ihn ins Haus gebeten. Die Frau hat ihm Kaffee gemacht. Sie hat ihn sogar im Voraus bar auf die Hand bezahlt, obwohl er sich den Boiler überhaupt nicht angesehen hatte.

Er hatte nur einen einzigen Blick auf Sal geworfen, und da war es geschehen.

»Manchmal wachen wir nachts auf und sind überzeugt, dass das, worin wir stecken, gar nicht unser echter Körper ist«, sagte Daddy gern, besonders wenn er bei Sal auf der Bettkante saß und bei ihr blieb, bis sie einschlief. »Es juckt uns an den falschen Stellen; wir fühlen uns gedrückt und unwohl. Unsere Kleider passen uns nicht, sogar Sachen, die wir schon seit Jahren tragen. Allmählich kommt uns der Verdacht, dass unser Körper in Wirklichkeit in einem ganz anderen Haus ist, dass er bei abgedrehtem Ton fernsieht oder den Rasen mäht. Vielleicht essen wir Pizza oder backen Brot, oder wir sitzen im Unterricht in der Abendschule. Aber egal was wir machen, wir wissen, dass das nicht unser *echtes* Ich ist, das da liegt, das mit dem fremden Menschen neben uns spricht. Genauso ist das mit der Familie, Sal. Wir stellen fest, dass wir allein in einem fremden Haus unter fremden Menschen sind. Wir wissen, wie sie heißen und womit sie ihr Geld verdienen. Ihre Papiere sind in Ordnung. Aber tief in unserem Inneren gehören wir nicht zu denen. Wir sind längst anderswo. Wir tun nur so, als wohnten wir in diesem Haus, bis unser echtes Leben sich einfindet.«

⋆⋆⋆

Wenn sie nachts ganz stillsaß, konnte sie über den Flur in das große Schlafzimmer sehen. Manchmal bewegten der Mann und die Frau sich gemeinsam, und das Dunkel schwappte über sie her wie Strömungen aus einer anderen Welt. Dann bewegten sie sich schneller. Dann hörten sie auf. Sie blieben vielleicht eine Weile ruhig, aber früher oder später begannen sie zu flüstern, sprachen über Dinge, von denen sie schon zuvor gesprochen hatten.

»Ist sie wach?«

»Ich höre nichts.«

»Sie wirkt glücklicher. Hast du nicht das Gefühl, dass sie glücklicher wirkt?«

»Ich finde, sie sieht aus wie immer.«

»Sie ist eindeutig glücklicher. Sie malt gern am Küchentisch. Sie wirkt nicht mehr so traurig, besonders beim Essen. Sie geht ans Telefon. Sie nimmt Anteil an alltäglichen Verrichtungen.«

»Früher hat sie sich gefreut, wenn ich nach Hause kam. Gerade wenn ich ihr etwas mitbrachte.«

»Und sie macht nicht mehr diese Geräusche. Du weißt, was ich meine. Wenn sie am Fenster steht und die Autos vorbeifahren sieht.«

»Wenn ich ihr jetzt etwas mitbringe, sieht sie die Sachen nur kurz an. Dreht sie in die eine und in die andere Richtung und legt sie wieder weg. Wie dieses Buffy-Quartett vor ein paar Tagen. Die Kollegen in der Arbeit sagen, ihre Töchter sind ganz verrückt nach diesem Buffy-Quartett, und sie hat nicht mal die Schachtel aufgemacht. Das ist sicher schon eine Woche her, dass ich ihr das Buffy-Quartett geschenkt habe.«

Sal kam zu dem Schluss, dass ihr Zimmer dunkler war als das andere Zimmer. Deshalb konnte sie die beiden sehen, aber die beiden sahen Sal nicht.

»Was ist mit den Türen, Liebling? Hast du die Türen abgeschlossen?«

»Fang nicht schon wieder an, Amy.«

»Gerade die Kellertür. Jedes Mal, wenn ich auch nur eine Sekunde lang nicht aufpasse, ist sie im Keller. In dem kleinen Winkel unter der Treppe bei den schimmligen Zementsäcken und den Mausefallen. Sitzt da und stößt diese Laute aus. Und manchmal frage ich mich, Liebling, ob das da drüben wirklich unser kleines Mädchen ist. Vielleicht haben sie uns ein anderes Kind gebracht. Eins, das aussieht wie unsere Tochter, aber in Wirklichkeit ist sie jemand ganz anderes.«

Sal hatte Mitleid mit ihnen. Aber nicht mehr Mitleid, als sie mit allen Menschen hatte.

»Jetzt weiß ich nicht mehr, ob ich dich schon gefragt habe. Hast du die Türen abgeschlossen? Gerade den Keller.«

»Ich habe alle Türen abgeschlossen. Gerade den Keller.«

»Was ist mit der Garage?«

»Die Garage hat eine Fernbedienung. Du kannst die Garagentür nicht ohne Fernbedienung aufmachen.«

»An der Garagentür gibt es zwei Schlösser. Auf jeder Seite eins.«

»Die Garagentür ist sicher. Wenn jemand die Garagentür aufmachen wollte, würden wir das in einer Meile Entfernung hören. Bitte schlaf jetzt, Liebling. Ich weiß nicht, wie oft ich das noch mit dir durchmachen kann. Ich bringe so viel Geduld auf, wie ich nur kann.«

★★★

Eines Nachts träumte Sal, dass alle Menschen fortgingen, an den Fußknöcheln aneinandergefesselt mit blinkenden Überwachungs-Infrarotscannern und Schildern mit Strichcodes. Ihre weiten grauen Overalls waren in der Taille von dicken weißen Kordeln zusammengehalten; die Köpfe waren kahlgeschoren. Männer und Frauen unterschiedlichster Größe und Form; Leute aus der Arbeiterklasse, Büroangestellte, uniformierte Staatsdiener. Selbst die Leute, die Sal kürzlich getroffen hatte, waren dabei – Wachtmeister Fortinhue und Richterin Betty und Frank Morgan und all die freundlichen Seelen von der kalifornischen Kinderfürsorge –, sie schlurften in ihren Ledersandalen und weiten Baumwollhemden mit. Vor lauter Scham blickten sie nicht auf, als sie mit ungelenken kleinen Schlenkern und Gegenschlenkern vorbeimarschierten wie die Glieder eines gigantischen Tausendfüßlers. »Alle haben sie Böses getan, und jetzt gehen sie fort«, sagte jemand. »Dir zu viel Aufmerksamkeit gezollt oder zu wenig. Dich an den falschen Stellen berührt oder überhaupt nicht. Wir können nicht zulassen, dass sie in unserer Welt bleiben, deshalb schicken wir sie anderswohin.« Die Männerstimme war vertraut und unvertraut zugleich, ganz nach Sals Geschmack.

Als Sal in ihrem dunklen Bett erwachte, schwitzte sie, als hätte ihr jemand einen Krug warmes Wasser vorn über ihr Kleid geschüttet; ihr Höschen war nass, und als sie sich aufrichtete, kam ein schmatzendes Geräusch von dem Kunststoffbezug unter ihrem Betttuch. Sal schlug die Laken zurück und zog ihren Schlafanzug aus. Sie konnte nicht glauben, dass sie ins Bett gemacht hatte. Bettnässen, das war etwas, was kleine Mädchen taten, um die sich keiner kümmerte, und hier war Sal, in ihrem Bett, und alle kümmerten sich um sie. Sogar die Leute, denen sie nie begegnet war.

★★★

Es waren keine Autos auf der Straße, als Sal durch das Gartentor hinausschlüpfte.

Da reist man so weit, wie man kann, und sieht sich so viel an, wie man kann, und wenn es vorbei ist, dachte Sal, dann ist es, als ob man nie etwas gesehen hat und nie irgendwo gewesen ist. Wenn zu dieser nächtlichen Stunde noch irgendwo in den Häusern Licht brannte, dann war es von kleinen Schaltuhren aus Kunststoff eingeschaltet, die zwischen Steckdosen und Lampenschnüren summten wie Abwesenheit, ganz und gar künstlich und vorgeplant.

Sal konnte ihren eigenen Atem sehen, der in feuchten Dampfstößen ihrer Lunge entströmte, ein Teil ihrer selbst. Ihre Schritte trugen sie auf einem dünnen Schallteppich. Sie war kein Individuum mehr; sie war eine Ausstrahlung eines anderen. Sie ging an blauen Briefkästen vorbei, an braunen Telegrafenmasten, gelben Hydranten, wieder an blauen

Briefkästen. An Computerausdrucken auf weißem Papier, Suchanzeigen für verlorene Hunde und Kinder; Ehemänner und Ehefrauen, die nicht wieder nach Hause gekommen waren; Autos und Mopeds, die zum Verkauf standen; Stadtteilfeste und Privatflohmärkte und Lesezirkel und politische Initiativen. Als wenn man in einer großen Schleife immer wieder an denselben Stellen am selben Ort vorüberkam. Die Art von Fortschritt, bei der Sal sich optimistisch fühlte und allein.

Man hörte die Welt, bevor man sie sah. Immer wieder kam das vor. Das Rauschen der Autos auf fernen Schnellstraßen, dann das plötzliche Aufbrausen eines Geräuschs, das innere Klingen und Flüstern der Materie selbst. Sal drehte sich nicht einmal um, als das Auto mit einer Qualmspur, die unter seinem klappernden Fahrgestell hervorblies, herankam.

»He, kleines Mädchen«, sagte der Mann. »Was machst du denn ganz allein hier draußen, ein kleines Mädchen wie du, so spät in der Nacht und ohne deine Mommy und deinen Daddy, die auf dich aufpassen? Ich könnte dich mitnehmen. Ich könnte mich um dich kümmern, bis deine Mommy und dein Daddy von da zurück sind, wo sie hingegangen sind. Was hältst du davon, kleines Mädchen? Willst du bei mir einsteigen und mir Gesellschaft leisten? Wir könnten Lieder singen, oder wir gehen ins Kino. Gehst du gern ins Kino, kleines Mädchen? Also ich selbst, ich bin ein Riesenkinofan.«

Er redete zu ihr durch das Beifahrerfenster und fuhr langsam neben ihr her, so langsam, wie Sal ging, Körper und Schultern zum Fenster gedreht, fast als wolle er bei fahrendem Auto herausklettern. Er war überhaupt nicht wie Daddy. Daddy sprach nie mit Sal, wenn sie außerhalb des Autos war. Er redete nur, wenn sie mit ihm drinnen saß.

»Nein, danke«, sagte Sal zu ihm. Das gleichmäßige Platschen ihrer Sandalensohlen auf dem Bürgersteig gab ihr ein Gefühl von Sicherheit. Vorstadthäuser standen solide in alle Himmelsrichtungen. Keiner von denen, die in diesen Häusern wohnten, würde zulassen, dass Sal etwas Schlimmes geschah. Das wussten sie, und das wusste Sal. Sie würden Sal auf ihrem Weg durch die Welt im Auge behalten, bis sie fort war.

»Hübsche kleine Mädchen findet man nicht alle Tage«, sagte der Mann. Jetzt hatte er die Stirn innen an die Windschutzscheibe gedrückt; auf dem Armaturenbrett lagen zerknitterte Zigarettenpackungen, falsch zusammengefaltete Landkarten, klebrige Büroklammern und Kreditkartenbelege wie Pergamentpapier. »Wenn jemand ein hübsches kleines Mädchen findet, dann muss er auf es aufpassen. Er muss ihm anständige Manieren beibringen und es vor denen warnen, die nicht so nett sind wie er selbst. Wenn du bei mir einsteigst, kleines Mädchen, könnten wir gemeinsam etwas unternehmen, zu einer Eisdiele fahren zum Beispiel, oder vielleicht nach Disneyland. Bist du schon mal in Disneyland gewesen, kleines Mädchen? Es ist eine lange Fahrt, aber man ist immer schneller da, als man denkt.«

Das war der Teil am Leben, der sich nie ändern und nie aufhören würde. Überall Leute; sie standen an allen Fenstern, füllten Autos und Schnellstraßen und Omnibusse, flogen in Jumbojets umher, besuchten Disneyland und Eisdielen und Pizzabuden und Kinos, und dann kamen sie wieder nach Hause und freuten sich darüber, dass sie fortgewesen waren. Leute in allen Formen und Größen und Arten, gute Menschen und schlechte Menschen und alle möglichen Menschen dazwischen. Überall, wohin Sal kam, waren sie schon da und warteten auf sie. Sie nahmen sie mit nach Hause. Sie gaben ihr zu essen und badeten sie und schickten sie am nächsten Morgen wieder fort. Leute, die Sal lieben wollten, allerdings nicht mehr, als sie mussten. Denn wenn man es einmal ganz aufs Wesentliche reduzierte, waren die Leute alle gleich. Sie waren alle verzeichnet im selben Buch, und das war ein Buch, das Sal nie lesen würde.

★★★

Als Sal wieder am Haus anlangte, schliefen der Mann und die Frau in dem großen Bett, lagen auf dem Rücken, Kissen drückten sie in eine Stellung wohlwollender Achtlosigkeit, und sie merkten nichts von den Lauten, die Sal ausstieß, als sie ins Schlafzimmer kam und die Geografie der Dinge betrachtete, die ihrem Raum Gestalt und ihnen selbst

Realität verliehen. Die dicken blauen Vorhänge mit Spitzensaum. Die große Holzkommode mit den polierten Messinggriffen. Den blauen Krug mit lauwarmem Wasser auf dem Nachttisch mit den zwei klaren Plastikbechern, den Radiowecker und den knopfäugigen rosa Plüschelefanten mit einer Reihe aufgenähter Glitzerperlen als Mund. Es machte Sal traurig, als ihr aufging, dass dieser rosa Plüschelefant das Interessanteste im Zimmer war. Jedenfalls das Einzige, was es wert war, dass man zu ihm sprach.

»Ich bin so weit gegangen, wie ich konnte«, flüsterte Sal, »und dann bin ich zurückgekommen. Beinahe hätte ich ein Buch geschrieben; ich hatte zweimal denselben Daddy, habe auf einem Baseballfeld geschlafen, in überfluteten Kellern und toten Autos gewacht. Ich habe die Namen von tausend Leuten gelernt und genauso schnell wieder vergessen. Ich habe Leute wegen Missbrauchs ins Gefängnis gebracht und in einem Waschsalon geschlafen, und fast hätte ich geheiratet. Und dann, als ich am wenigsten damit rechnete, hat mich die staatliche Kinderfürsorge hier in dieses Haus gebracht und mir gesagt, dass ich hierher gehöre und dass ich erst wieder weg darf, wenn ich so alt bin, dass ich nichts mehr habe, wohin ich noch gehen kann. Mit vollem Namen heiße ich Salome Erin Jensen, aber ich selbst nenne mich Sal. Sal, die fortging und wieder zurückkam. Sal, die Bilder am Küchentisch malt. Sal, die in ihrem kleinen Bett schläft und nicht so anhänglich ist, wie sie sein sollte. Sal, die sich die Welt zu eigen machte, bis die Welt sie nicht mehr wollte. Ich weiß, das ist ein ziemlich komplizierter Gedanke, gerade wenn man ihn tief in der Nacht erzählt bekommt, aber ich musste das einfach loswerden, und jetzt bin ich fertig damit.«

Rudolph Wurlitzer **Zebulon** Roman

Es ist ein Buch, das man beim Lesen anschaut wie einen Film, das man als Film besetzt, wenn man es noch einmal liest, und von dem man im Traum die Fortsetzung schreibt. Hypnotisch und durchdrungen von Poesie und mystischer Liebe.

Patti Smith

Wurlitzer schreibt eine knappe, klare Prosa, voller Eleganz und Drastik, voll absurdem Witz in den Dialogen und mit Gespür für Plot.

Frankfurter Allgemeine Sonntagszeitung, Peter Körte

Zebulon ist der Western, den man immer sehen wollte, aber nie lesen durfte.

Die literarische Welt, Albert Ostermaier

Zebulon äußert bisweilen die Vermutung, dass er „in dem gottverfluchten Traum von einem andern steckt und nicht rausfindet". Recht hat er. Nämlich in Wurlitzers von Westernklamotten befeuertem, abgründigem und ziemlich komischem Genre-Tagtraum.

TAZ, Frank Schäfer

Eine kraftvolle Story! Und unser Mann erlebt allen Schmerz mit dem gleichmütigen Humor eines Big Lebowski. So lässt sich wohl auch der Wilde Westen ertragen.

Playboy, Klaus Mergel

Anna Weidenholzer **Der Winter tut den Fischen gut** Roman

... Allerdings ist »Der Winter tut den Fischen gut« viel mehr als ein Buch über Arbeitslosigkeit: Es macht aus dem Fall der Maria Beerenberger eine individuelle Lebensgeschichte, es gibt der ehemaligen Verkäuferin im Textilhandel, gekündigt mit 47 Jahren, nach neunzehn Jahren, Gesicht und Stimme – ohne Pathos und ohne plumpe Parteilichkeit. [...] Der Autorin gelingt es, solch banale Lebenserschwernisse durch eine Fülle von Details plastisch, interessant, bisweilen auch sacht komisch erscheinen zu lassen. Maßgeschneidert wirkt, bis in die Dialoge hinein, die Sprache: Sie ist schlicht, prägnant und von einer schartigen Schönheit.

Frankfurter Allgemeine Zeitung, Daniela Strigl

Konzentriert baut Anna Weidenholzer einen Spannungsbogen und bietet derart ein Psycho- und Soziogramm, ein literarisch bestechendes Exempel der Weltverengung so vieler Menschen, die heute an den Rand und dar über hin aus gedrängt werden.

Der Standard, Klaus Zeyringer

Ihre literarische Sprache ist sehr reduziert, aber jedes Wort sitzt. Und mit jedem Satz wir der Leser neugieriger und ungläubiger.

TAZ, Catarina von Wedemeyer

Überhaupt ist der unaufdringliche, zwischen leiser Komik und trockenem Sarkasmus changierende Humor eine große Stärke des Romans. Er verhindert, dass das Sujet vollends ins Trostlose kippt.

Der Falter, Klaus Nüchtern

autor**in**residenz

Manfred Wieninger **223 oder Das Faustpfand** Ein Kriminalfall

Manfred Wieninger erzählt eine wahre Geschichte im nüchternen Protokollstil, er lässt die Originalzitate für sich sprechen, verschränkt behutsam Fiktion mit Tatsachen und gibt den Opfern ihre Namen und Biographien zurück.

Die Zeit, Ingeborg Sperl

Manfred Wieninger erzählt einen ungelösten Fall nach. Er ist dabei angesichts der besonderen Grausamkeit und Kaltblütigkeit des Verbrechens nicht der Versuchung erlegen, einen Kriminalroman mit historischem Setting daraus zu machen, wie es derzeit in Mode ist. Der Autor weiß zwar auch nicht, wer die Täter waren, aber es gelingt ihm, an die Opfer zu erinnern und ihnen Namen und eine Stimme zu geben. Man würde sich wünschen, dass dieses fast gänzlich pathosfreie Buch bald als Schullektüre zum Einsatz gelangt.

Der Falter, Sebastian Fasthuber

Dokumentation, Literatur, Faktum und Fiktion – in jedem Fall eine nachdrückliche Lese-Empfehlung.

Buchkultur

Peter Henisch **Großes Finale für Novak** Roman

Henisch ist der Glücksfall eines Autors, in dessen literarischen Gebäuden die Türen zwischen Politik und Fantasie, zwischen Ernst und Schrägheit offen stehen.

Die Zeit

Dass man dem Durchschnittsmenschen Franz Novak Interesse abgewinnt, verdankt sich der Kunstfertigkeit seines Erfinders. Peter Henisch folgt dem unglücklichen Pantoffelhelden mit Sympathie, kehrt das Innerste des tumben Toren nach aussen, bis er keineswegs nur noch stumpf und dumpf wirkt. Seine lakonischen Einsichten haben Witz, sind bisweilen regelrecht komisch.

NZZ, Jan Koneffke

Peter Henisch, der seit Jahren leichthändig und hintersinnig mit akribischem Blick für die Verästelungen der Psyche seiner Figuren erzählt, erspart diesem Paar nichts. (...) Aufgeräumt wird auch mit Vorurteilen gegen die Oper, die am Ende den einzigen Sieg davonträgt. Immer mehr Verschüttetes holt sie aus Novak hervor, wirkt be- und entzaubernd. Über diese Erlebnisse geht die wundersame Wirkung, die Peter Henisch schon in »Eine sehr kleine Frau« beschworen hat, unweigerlich auch auf den Leser über.

Frankfurter Allgemeine Zeitung, Beate Tröger